Fra il 1931 e il 1972 Georges Simenon (1903-1989) ha pubblicato 76 romanzi e 26 racconti dedicati alle inchieste di Maigret.
Nel febbraio del 1955 Simenon decide, praticamente da un giorno all'altro, di lasciare gli Stati Uniti e di stabilirsi con tutta la famiglia in Costa Azzurra. Da quel momento è di umore euforico: «Hip hip hip urrà!» scrive a Sven Nielsen, il suo editore. «Mi sento come un pesciolino nell'acqua!». Poche settimane dopo ha già traslocato alla Gatounnière, una sontuosa villa a sette chilometri da Cannes. Non ci resterà a lungo: di lì a qualche mese, riafferrato dalla sua irrequietezza, cambierà di nuovo casa (in una delle ultime interviste dirà a Bernard Pivot di averne avute in tutto trentatré). Nel frattempo però avrà scritto due romanzi «duri» e questo formidabile *Maigret tend un piège*, che sarà pubblicato nell'autunno dello stesso anno.
Presso Adelphi sono in corso di pubblicazione tutte le opere di Simenon.

Georges Simenon

La trappola di Maigret

TRADUZIONE DI LUCIANA CISBANI

ADELPHI EDIZIONI

TITOLO ORIGINALE:

Maigret tend un piège

Le inchieste del commissario Maigret
escono a cura di Ena Marchi e Giorgio Pinotti

INDICE

LA TRAPPOLA DI MAIGRET

1
Gran trambusto al Quai des Orfèvres

A partire dalle tre e mezzo Maigret cominciò ad alzare la testa di tanto in tanto per guardare l'ora. Alle quattro meno dieci finì di scrivere l'ultimo foglio e lo siglò, poi spinse indietro la poltrona, si deterse il sudore ed esaminò dubbioso le cinque pipe che aveva lasciato nel posacenere, dopo averle usate, senza nemmeno svuotarle. Allora premette con un piede il campanello che si trovava sotto la scrivania e un attimo dopo bussarono alla porta. Asciugandosi il viso con il fazzoletto ben aperto, il commissario borbottò:

«Avanti!».

Anche l'ispettore Janvier si era tolto la giacca, ma a differenza di Maigret aveva tenuto la cravatta.

Il commissario gli porse un fascio di fogli.

«Falli battere a macchina. E di' che me li riportino per la firma appena sono pronti. Bisogna che Coméliau li abbia stasera».

Era il 4 agosto. Le finestre erano spalancate, ma non davano alcun sollievo: l'asfalto ormai molle e il selciato bollente esalavano un'aria torrida, e si aveva l'impressione che la Senna dovesse da un momento all'altro mettersi a fumare come l'acqua sul fuoco.

I taxi e gli autobus procedevano sul pont Saint-Michel più lenti del solito, quasi si trascinassero, e tutti andavano in giro in maniche di camicia, né più né meno che alla Polizia giudiziaria. In strada gli uomini camminavano tenendo la giacca sul braccio e poco prima Maigret aveva notato qualcuno in calzoncini corti, come se fosse in spiaggia.

Solo un quarto dei parigini era rimasto in città, e probabilmente non ce n'era uno che non pensasse con invidia a coloro che in quel momento avevano la fortuna di starsene a mollo nell'acqua del mare appena increspata dal vento o di pescare, all'ombra di un albero, nelle placide acque di un fiume.

«Sono arrivati, là di fronte?».

«Non li ho ancora visti. Lapointe li tiene d'occhio».

Maigret si alzò con visibile fatica, scelse una pipa, la svuotò e si accinse a riempirla. Poi andò a piazzarsi davanti a una finestra, cercando con lo sguardo un ristorantino di quai des Grands-Augustins. La facciata era dipinta di giallo. Per accedere al locale bisognava scendere due gradini e dentro doveva far fresco come in una cantina. C'era ancora un autentico bancone di zinco, di quelli di una volta, il menu era scritto con il gesso su una lavagna appesa al muro e nell'aria aleggiava perennemente l'aroma del calvados.

Perfino i bouquiniste erano in vacanza: sul lungosenna molti dei loro cassoni erano chiusi con i catenacci.

Il commissario rimase immobile per quattro o cinque minuti, aspirando il fumo della pipa, poi vide un taxi fermarsi non lontano dal ristorante: ne scesero tre uomini che si diressero verso l'entrata. La più familiare delle tre sagome era quella di Lognon, un ispettore del XVIII arrondissement che da lontano pareva ancora più gracile e minuto. Era la prima volta che Maigret lo vedeva con in testa un cappello di paglia.

Era probabile che quei tre, di lì a poco, si sarebbero bevuti una birra.

Maigret si affacciò all'ufficio degli ispettori, dove regnava un'atmosfera pigra, proprio come in tutto il resto della città.

«Il Barone è in corridoio?».

«Sì, capo, da mezz'ora».

«Nessun altro giornalista?».

«È appena arrivato il giovane Rougin».

«Fotografi?».

«Soltanto uno».

A parte due o tre persone che aspettavano davanti alla porta dei colleghi di Maigret, il lungo corridoio della Polizia giudiziaria era semivuoto. Era stato proprio Maigret a chiedere a Bodard, della Finanza, di convocare per le quattro l'uomo di cui i giornali parlavano ormai quotidianamente, un certo Max Bernat, che fino a due settimane prima era un perfetto sconosciuto e poi, di colpo, era diventato il protagonista di uno scandalo finanziario da parecchi miliardi.

Maigret non aveva niente a che fare con Bernat, e il commissario Bodard, in quella fase dell'inchiesta, non aveva interesse a interrogarlo. Ma poiché Bodard aveva annunciato quasi in sordina che quel giorno, alle quattro, avrebbe incontrato il truffatore, nel corridoio c'erano due cronisti e un fotografo. Sarebbero rimasti lì di certo fino alla fine dell'interrogatorio, e se si fosse sparsa la voce che Bernat era al Quai des Orfèvres non era escluso che ne arrivassero altri.

Alle quattro in punto un tramestio proveniente dalla stanza degli ispettori annunciò l'arrivo del truffatore, che era stato prelevato alla Santé.

Maigret aspettò ancora una decina di minuti camminando su e giù per la stanza, fumando la pipa, asciugandosi di tanto in tanto il sudore e senza mai perdere di vista il ristorante dall'altra parte della Senna. Alla fine schioccò le dita e, rivolgendosi a Janvier, disse:

«Adesso!».

Janvier alzò la cornetta del telefono e chiamò il ristorante, dove Lognon, appostato vicino alla cabina, stava probabilmente dicendo al padrone:

«È di sicuro per me. Aspetto una chiamata».

Tutto si svolgeva secondo i piani. A passi pesanti e con un vago senso di inquietudine Maigret rientrò nel suo ufficio, e prima di sedersi andò al piccolo lavabo di smalto e bevve un bicchiere d'acqua.

Dieci minuti dopo, chi fosse passato nel corridoio avrebbe assistito a una scena familiare: Lognon e un altro ispettore del XVIII, un còrso di nome Alfonsi, salivano lentamente le scale scortando un uomo che pareva a disagio e si copriva il viso con il cappello.

Al Barone e al suo collega Jean Rougin, che aspettavano in piedi davanti alla porta del commissario Bodard, bastò un'occhiata per capire: si precipitarono verso il gruppetto, mentre il fotografo già impugnava la macchina fotografica.

«Chi è?» chiesero.

Conoscevano Lognon, naturalmente. Conoscevano il personale della polizia quasi quanto quello del loro giornale. E, se due ispettori che non appartenevano alla Polizia giudiziaria ma al commissariato di Montmartre portavano al Quai des Orfèvres un tizio che si nascondeva il volto ancor prima di scorgere i giornalisti, non potevano esserci dubbi.

«È per Maigret?».

Senza rispondere, Lognon si diresse verso l'ufficio del commissario e bussò con discrezione. La porta si aprì. I tre personaggi scomparvero all'interno. La porta si richiuse.

Il Barone e Jean Rougin si guardarono come se

avessero scoperto un segreto di Stato, ma poiché sapevano che stavano pensando entrambi la stessa cosa non provarono il bisogno di fare commenti.

«Una buona ce l'hai?» chiese Rougin al fotografo.

«Sì, ma il cappello gli nascondeva il viso...».

«Sempre la stessa storia! Spediscila di corsa al giornale e torna qui. Non possiamo prevedere quando usciranno».

Alfonsi invece uscì quasi subito.

«Chi è?» chiesero anche a lui.

L'ispettore parve imbarazzato.

«Non posso dire niente».

«Perché?».

«Sono gli ordini».

«Da dove arriva? Dove l'avete pescato?».

«Chiedete al commissario Maigret».

«Un testimone?».

«Non so».

«Un indiziato?».

«Vi giuro che non lo so».

«Grazie tante per la collaborazione».

«Immagino che se fosse l'assassino gli avreste messo le manette...».

Alfonsi si allontanò con aria contrita, come se gli dispiacesse davvero non poter dire di più. Nel corridoio tutto tornò calmo e per oltre mezz'ora non si vide anima viva.

Il truffatore Max Bernat uscì dall'ufficio della Finanza, ma ormai rivestiva scarso interesse agli occhi dei giornalisti. Giusto per scrupolo, rivolsero qualche domanda al commissario Bodard.

«Ha fatto i nomi?».

«Non ancora».

«Nega di aver avuto l'appoggio di qualche politico?».

«Non nega e non confessa, lascia tutto nel vago».

«Quando lo interrogherete di nuovo?».

«Non appena avremo verificato alcuni fatti».

15

Maigret, sempre senza giacca e con il colletto slacciato, uscì dal suo ufficio e si diresse con aria indaffarata verso quello del capo.

Era un altro segno: nonostante l'atmosfera di vacanza, nonostante il caldo, la Polizia giudiziaria si apprestava a vivere una serata importante, e i due reporter pensavano a certi interrogatori durati tutta la notte, talvolta anche più di ventiquattr'ore, senza che trapelasse alcunché di ciò che accadeva dietro le porte chiuse.

Il fotografo, nel frattempo, era tornato.

«Non hai detto niente al giornale?».

«Solo di sviluppare la pellicola e di tenere pronti i negativi».

Maigret rimase circa mezz'ora nell'ufficio del capo, poi tornò nel suo allontanando i reporter con un gesto stanco.

«Ci dica almeno se ha a che fare con...».

«Non ho niente da dire per il momento».

Alle sei, il cameriere della brasserie Dauphine portò un vassoio carico di birre. A un certo punto Lucas aveva lasciato il suo ufficio ed era entrato in quello di Maigret, da dove non si era più mosso, e Janvier si era precipitato fuori, con il cappello in testa, per infilarsi in un'auto della Polizia giudiziaria.

Ma le sorprese non erano finite: comparve Lognon, che si diresse verso l'ufficio del capo proprio come aveva fatto poco prima Maigret. Lui, però, vi rimase solo dieci minuti, dopodiché, invece di andarsene, raggiunse la stanza degli ispettori.

«Non hai notato niente?» chiese il Barone al collega.

«Il cappello di paglia, quando è arrivato?».

Si faceva fatica a immaginare l'ispettore, che tutti nell'ambiente della polizia e della stampa chiamavano il Lagnoso, con in testa quel cappello di paglia quasi frivolo.

«No, una cosa ancora più strana».

«Non avrà mica sorriso?».

«No. Ma porta una cravatta rossa».

In genere portava solo cravatte di colore scuro, agganciate a un supporto di celluloide.

«E che cosa significa?».

Il Barone sapeva tutto di tutti, e svelava i segreti delle persone accennando una specie di sorrisetto.

«Che la moglie è in vacanza».

«Credevo fosse inferma».

«Lo era».

«È guarita?».

Per anni il povero Lognon era stato costretto, tra un turno di lavoro e l'altro, a fare la spesa, preparare da mangiare, pulire l'appartamento di place Constantin-Pecqueur e, come se non bastasse, a curare la moglie, che a un certo punto si era dichiarata definitivamente invalida.

«Ha fatto conoscenza con una nuova inquilina dello stabile, che le ha parlato di Pougues-les-Eaux e l'ha convinta ad andare lì a fare una cura termale. Può sembrare incredibile, ma è partita, anziché col marito – che in questo momento non può lasciare Parigi –, con la vicina in questione. Le due donne sono coetanee. La vicina è vedova...».

Gli andirivieni tra un ufficio e l'altro erano sempre più frequenti. Quasi tutti quelli che appartenevano alla squadra di Maigret erano usciti. Janvier nel frattempo era rientrato. Lucas andava e veniva, tutto indaffarato e con la fronte imperlata di sudore. Lapointe faceva capolino di tanto in tanto, e così pure Torrence e Mauvoisin, che era un nuovo acquisto, e altri ancora che i giornalisti cercavano di fermare al volo ma a cui era impossibile strappare uno straccio di informazione.

Ben presto arrivò anche la piccola Maguy, reporter di un quotidiano del mattino, fresca come una rosa, quasi che per tutta la giornata non ci fossero stati trentasei gradi all'ombra.

« E tu che ci fai qui? ».

« Quello che fate voi ».

« Cioè? ».

« Aspetto ».

« Come hai saputo che stava succedendo qualcosa? ».

Lei alzò le spalle e si passò il rossetto sulle labbra.

« In quanti sono là dentro? » chiese indicando la porta di Maigret.

« Cinque o sei. Non si riesce a contarli. Entrano ed escono. Come se si dessero il cambio ».

« Lo stanno spremendo? ».

« Comunque sia, quello comincia a vedersela brutta ».

« Hanno portato su le birre? ».

« Sì ».

Era un segno. Quando Maigret ordinava un vassoio di birre, voleva dire che contava di averne per un pezzo.

« Lognon è sempre con loro? ».

« Sì ».

« Euforico? ».

« Difficile a dirsi, con lui. Porta una cravatta rossa ».

« Perché? ».

« La moglie è alle terme ».

Si capivano al volo. Appartenevano alla stessa confraternita.

« Voi lo avete visto? ».

« Chi? ».

« Quello che stanno torchiando ».

« Non in faccia. Si nascondeva dietro il cappello ».

« Giovane? ».

« Né vecchio né giovane. Sulla trentina, sembrerebbe ».

« Vestito come? ».

« Normale. Di che colore era il completo, Rougin? ».

«Grigio ferro».

«Io avrei detto beige».

«Che aspetto aveva?».

«Di uno qualunque che incontri per strada».

Si sentirono dei passi sulle scale, e mentre tutti voltavano la testa Maguy mormorò:

«Dev'essere il mio fotografo».

Alle sette e mezzo i tre cronisti e i due fotografi che aspettavano nel corridoio videro salire il ragazzo della brasserie Dauphine con altre birre e panini imbottiti.

Allora capirono che là dentro stavano facendo sul serio e uno dopo l'altro si diressero verso un piccolo ufficio in fondo al corridoio per telefonare ai loro giornali.

«Andiamo a mangiare un boccone?».

«E se nel frattempo escono?».

«E se stanno lì tutta la notte?».

«Ordiniamo dei panini anche noi?».

«Andata!».

«E delle birre?».

Il sole stava scomparendo dietro i tetti ma faceva ancora chiaro, e anche se l'aria non sfrigolava più il caldo non accennava a diminuire.

Alle otto e mezzo Maigret aprì la porta con l'aria sfinita e i capelli appiccicati alla fronte. Gettò un'occhiata nel corridoio e parve sul punto di avvicinarsi ai giornalisti. Però poi ci ripensò e la porta si richiuse alle sue spalle.

«Si mette male!».

«Te l'avevo detto che ne avremmo avuto per tutta la notte. Tu c'eri quando hanno interrogato Mestorino?».

«Io ero ancora in fasce».

«Ventisette ore».

«Era agosto?».

«Non ricordo che mese fosse, ma...».

Maguy indossava un vestito di cotone stampato

che le si era incollato al corpo, tanto che sotto il tessuto si intravedevano il reggiseno e gli slip, e grossi aloni di sudore segnavano il giro delle ascelle.

«Che ne dite di una partitina?».

Le lampade appese al soffitto si accesero e fuori iniziò a far buio. La guardia notturna prese posto in fondo al corridoio.

«Non si potrebbe fare un po' di corrente?».

La guardia andò ad aprire una finestra e le porte di alcuni uffici, e dopo pochi istanti i cronisti, concentrandosi, ebbero la sensazione di avvertire qualcosa di simile a una lieve brezza.

«Di più non posso fare, signori».

Alle undici, finalmente, dietro la porta di Maigret ci fu un po' di trambusto. Lucas uscì per primo, seguito dallo sconosciuto che si teneva sempre il cappello davanti al viso e da Lognon. Tutti e tre si diressero verso le scale che collegavano la Polizia giudiziaria con il Palazzo di giustizia e le camere di sicurezza.

I fotografi si spintonarono e il corridoio fu illuminato da rapidi flash. Meno di un minuto dopo la porta a vetri si richiuse e tutti si precipitarono verso l'ufficio di Maigret, che assomigliava a un campo di battaglia. Bicchieri ovunque, mozziconi di sigaretta, cenere, fogli strappati, e l'aria satura di fumo stantio. Maigret, sempre senza giacca, era chino sul lavabo di smalto e si stava lavando le mani.

«Ci dà qualche dritta, commissario?».

Lui li guardò con gli occhi sgranati che aveva sempre in quei casi e che sembravano non riconoscere nessuno.

«Qualche dritta?» ripeté.

«Chi è?».

«Chi?».

«L'uomo che è appena uscito».

«Uno con cui ho avuto una conversazione piuttosto lunga».

«Un testimone?».

«Non ho niente da dire».

«Ha emesso un mandato di carcerazione?».

Maigret sembrò pian piano riprender vita e si scusò con fare bonario.

«Signori, sono spiacente di non potervi rispondere, ma davvero non ho nessuna dichiarazione da fare».

«Conta di rilasciarne una nelle prossime ore?».

«Non saprei».

«Incontrerà il giudice Coméliau?».

«Non stasera».

«Tutto questo ha a che vedere con l'omicida?».

«Non prendetevela, ma vi ripeto che non posso darvi nessuna informazione».

«Lei adesso torna a casa?».

«Che ore sono?».

«Le undici e mezzo».

«A quest'ora la brasserie Dauphine è ancora aperta. Andrò lì a mangiare un boccone».

Maigret, Janvier e Lapointe uscirono tutti insieme. Un paio di giornalisti li seguirono fino alla brasserie, dove bevvero qualcosa al bar; i tre uomini, invece, scelsero un tavolo nella saletta sul retro e ordinarono la cena con aria stanca e preoccupata.

Alcuni minuti dopo li raggiunse Lognon, ma non Lucas.

I quattro conversavano a bassa voce ed era impossibile sentire quel che dicevano o cercare di indovinare le parole dal movimento delle loro labbra.

«Propongo di alzare i tacchi. Ti accompagno a casa, Maguy?».

«No. Al giornale».

Quando la porta si fu richiusa alle loro spalle, Maigret si stiracchiò e un bel sorriso allegro e spensierato gli si stampò sulle labbra.

«Ecco fatto!» sospirò.

«Credo proprio che l'abbiano bevuta» disse Janvier.

«Eccome!».

«Cosa scriveranno?».

«Non ne ho idea, ma troveranno sicuramente il modo di ricavarne un articolo sensazionale. Soprattutto Rougin».

Era uno nuovo del mestiere, giovane e pieno di grinta.

«E se si accorgono che li abbiamo infinocchiati?».

«Non devono accorgersene».

Il Lognon che avevano davanti era praticamente un altro uomo: uno che dalle quattro del pomeriggio si era scolato quattro birre e ora non disdegnava l'ammazzacaffè offerto dal padrone.

«E sua moglie, come sta?» chiese il commissario cambiando tono.

«Mi scrive che la cura termale le fa bene. È solo preoccupata per me».

La cosa non lo faceva ridere, e nemmeno sorridere. Ci sono argomenti sacri. Comunque era rilassato, quasi di buonumore.

«Ha recitato davvero bene la sua parte. La ringrazio. Spero che a parte Alfonsi nessuno sappia niente al suo commissariato».

«No, nessuno».

Era mezzanotte e mezzo quando si separarono. I tavolini all'aperto dei bar erano ancora affollati, e in generale c'era più gente fuori, a respirare la relativa frescura della notte, di quanta non ce ne fosse stata durante il giorno.

«Prende l'autobus?».

Maigret fece segno di no. Preferiva rincasare a piedi, da solo. A mano a mano che percorreva i marciapiedi la sua eccitazione iniziò però a scemare e il suo viso assunse un'espressione più grave, quasi angosciata.

Più volte superò donne sole che camminavano rasente i muri e che trasalivano sentendo i suoi passi, pronte a mettersi a correre o a chiamare aiuto al minimo gesto.

In sei mesi, cinque donne come quelle, che rientravano a casa o andavano da un'amica, cinque donne che camminavano di sera nelle vie di Parigi erano state vittima di un unico assassino.

L'aspetto curioso era che tutti i delitti erano stati commessi in uno solo dei venti arrondissement parigini, il XVIII, quello di Montmartre. E non soltanto nello stesso arrondissement ma addirittura nello stesso quartiere, in un'area compresa tra quattro stazioni del métro: Lamarck, Abbesses, place Blanche e place Clichy.

I nomi delle vittime, le strade e gli orari in cui avevano avuto luogo le aggressioni erano diventati ormai familiari ai lettori dei giornali, e per Maigret si erano trasformati in una vera e propria ossessione.

La sequenza degli eventi gli si era stampata nella memoria e poteva recitarla senza pensarci, come una di quelle filastrocche che si imparano a scuola.

2 febbraio. Avenue Rachel, nei pressi di place Clichy, a due passi da boulevard de Clichy e dalle sue luci: Arlette Dutour, ventotto anni, prostituta, domiciliata in un meublé di rue d'Amsterdam.

Due coltellate nella schiena, una delle quali aveva causato il decesso, quasi istantaneo. Lacerazione metodica degli abiti e qualche ferita superficiale sul corpo.

Nessuna traccia di stupro. Non le erano stati sottratti né i gioielli, di scarso valore, né la borsetta, che conteneva una discreta somma di denaro.

3 marzo. Rue Lepic, poco oltre il Moulin de la Galette. Otto e un quarto di sera. Joséphine Simmer, nata a Mulhouse, levatrice, di anni quarantatré. Abitava in rue Lamarck e stava rincasando dopo aver fatto partorire una paziente sulla Butte Montmartre.

Una sola coltellata nella schiena, che aveva raggiunto il cuore. Lacerazione degli abiti e ferite superficiali sul corpo. La borsa da ostetrica era rimasta accanto a lei sul marciapiede.

17 aprile. (Vista la contiguità delle date, 2 febbraio e 3 marzo, ci si era aspettati un nuovo omicidio il 4 aprile, invece non era accaduto niente). Rue Étex, ai margini del cimitero di Montmartre, quasi davanti all'ospedale Bretonneau. Le nove e tre minuti, sempre di sera. Monique Juteaux, sarta, ventiquattro anni, nubile. Viveva con la madre in boulevard des Batignolles e stava rincasando dopo essere stata a trovare un'amica che abitava in avenue de Saint-Ouen. Pioveva e dunque aveva l'ombrello.

Tre coltellate. Lacerazioni. Niente stupro.

15 giugno. Tra le nove e venti e le nove e mezzo. Questa volta in rue Durantin, sempre nella stessa zona. Marie Bernard, vedova, cinquantadue anni, impiegata delle poste. Viveva con la figlia e il genero in un appartamento di boulevard Rochechouart.

Due coltellate. Lacerazioni. La seconda coltellata le aveva reciso la carotide. Niente stupro.

21 luglio. L'ultimo delitto in ordine di tempo. Georgette Lecoin, sposata, madre di due bambini, di anni trentuno, abitante in rue Lepic, non lontano dal luogo in cui era stato commesso il secondo delitto.

Suo marito lavorava di notte in un garage. Uno dei figli era malato. La donna stava percorrendo rue Tholozé alla ricerca di una farmacia aperta ed era deceduta verso le nove e quarantacinque, quasi di fronte a una balera.

Una sola coltellata. Lacerazioni.

Un elenco orrendo e monotono. La polizia del quartiere delle Grandes-Carrières aveva ricevuto rinforzi. Lognon, come del resto tutti i suoi colleghi, aveva rimandato le ferie a data da destinarsi. Chissà se poi le avrebbe mai fatte.

Le strade erano pattugliate e c'erano agenti appostati in tutti i punti strategici. Un provvedimento, a dire il vero, che era già stato preso dopo il secondo delitto...

«Stanco?» chiese la signora Maigret aprendo la porta dell'appartamento nell'esatto momento in cui il marito arrivava sul pianerottolo.

«Oggi ha fatto molto caldo».

«Ancora niente?».

«Niente».

«Ho sentito prima alla radio che c'è stato un gran trambusto al Quai des Orfèvres».

«Di già?».

«Ritengono che abbia a che fare con i delitti del XVIII. È vero?».

«Più o meno».

«Avete una pista?».

«Non lo so».

«Hai cenato?».

«Sì, e ho mangiato qualcosa anche mezz'ora fa».

Lei non insistette e poco dopo dormivano entrambi, con la finestra spalancata.

L'indomani Maigret arrivò in ufficio alle nove senza aver avuto il tempo di leggere i giornali. Stava accingendosi a sfogliare quelli che trovava ogni giorno sulla scrivania quando squillò il telefono. Riconobbe il suo interlocutore fin dalla prima sillaba.

«Maigret?».

«Sì, signor giudice».

Ovviamente era Coméliau, incaricato dell'istruttoria dei cinque delitti di Montmartre.

«È tutto vero?».

«A cosa si riferisce?».

«A quello che scrivono i giornali stamattina».

«Non li ho ancora guardati».

«Avete arrestato qualcuno?».

«No, che io sappia».

«Sarebbe bene che lei venisse subito nel mio studio».

«Volentieri, signor giudice».

Lucas era entrato nell'ufficio e aveva assistito alla conversazione. Non gli sfuggì dunque il significato della smorfia che il commissario fece dicendo:

«Di' al capo che sono al Palazzo di giustizia e che probabilmente non tornerò in tempo per il rapporto».

Ripercorse lo stesso tragitto compiuto il giorno prima da Lognon, da Lucas e dal misterioso ospite della Polizia giudiziaria, l'uomo con il cappello davanti al viso. Nel corridoio dei giudici istruttori le guardie lo salutarono e alcuni degli imputati e dei testimoni in attesa, riconoscendolo, gli rivolsero un piccolo cenno.

«Entri e legga».

Ovviamente si aspettava di tutto, anche di trovare un Coméliau nervoso e aggressivo. Il giudice tratteneva a fatica un'indignazione che gli faceva tremolare i baffetti.

Un giornale titolava:

La polizia ha finalmente catturato l'assassino?

Un altro:

Gran trambusto al Quai des Orfèvres.
Si tratterebbe del maniaco di Montmartre.

«Ci terrei a farle notare, commissario, che ieri alle quattro io ero qui, nel mio studio, a meno di duecento metri dal suo ufficio e facilmente raggiungibile per telefono. Mi trovavo ancora qui alle cinque e pure alle sei. Me ne sono andato, perché avevo altri impegni, solo alle sette meno dieci. Anche allora, comunque, ero rintracciabile: prima a casa mia, dove è già accaduto più volte che lei mi telefonasse, poi a casa di amici, di cui mi ero premurato di lasciare l'indirizzo al mio domestico».

Maigret, in piedi, ascoltava senza fiatare.

«Quando un avvenimento importante come...».

Il commissario alzò la testa:

«Non c'è stato nessun avvenimento» mormorò.

Coméliau, ormai troppo lanciato per riuscire a calmarsi di colpo, batté con forza la mano sui giornali che aveva davanti a sé.

«E questi? Non mi dirà che sono invenzioni dei giornalisti?».

«Supposizioni».

«In altre parole, non è successo assolutamente niente e sono questi signori ad aver *supposto* che lei abbia fatto portare uno sconosciuto nel suo ufficio, che l'abbia interrogato per oltre sei ore, che l'abbia spedito poi in guardina e che...».

«Io non ho interrogato nessuno, signor giudice».

Questa volta Coméliau lo guardò sconcertato, come se non ci si raccapezzasse più.

«Farebbe meglio a spiegarsi, così che io possa a mia volta fornire delle spiegazioni al procuratore generale, il cui primo pensiero, stamattina, è stato quello di chiamarmi».

«Effettivamente, ieri pomeriggio una certa persona è venuta nel mio ufficio accompagnata da due ispettori».

«Una persona che avevano arrestato?».

«Diciamo che si trattava di una visita amichevole».

«Ed è per questo che l'uomo si nascondeva il viso con il cappello?».

Coméliau indicava una fotografia che campeggiava sulla prima pagina di diversi giornali.

«Forse è stato un caso, un gesto meccanico. Abbiamo chiacchierato...».

«Per sei ore?».

«Il tempo passa in fretta».

«E lei ha fatto portare birre e panini».

«Proprio così».

Il giudice batté di nuovo con forza il palmo della mano sul giornale.

«Qui c'è un resoconto dettagliato di tutti gli andirivieni dal suo ufficio».

«Non ne dubito».

«Chi è quest'uomo?».

«Un caro ragazzo, un tale Mazet. Pierre Mazet. Ha lavorato nella mia sezione una decina di anni fa, appena superati gli esami della scuola di polizia. In seguito, sperando di far carriera più rapidamente, ma credo anche a causa di una delusione d'amore, ha chiesto di andare a lavorare in un paese dell'Africa equatoriale e ci è rimasto per cinque anni».

Coméliau, disorientato, guardava Maigret con le sopracciglia aggrottate e sembrava chiedersi se il commissario non lo stesse prendendo in giro.

«È stato costretto a lasciare l'Africa a causa della malaria e i medici gli hanno proibito di ritornarci. Quando si sarà ristabilito fisicamente, è probabile che chieda di essere reintegrato nella Polizia giudiziaria».

«E sarebbe per ricevere quest'uomo che lei ha messo in piedi tutto il trambusto di cui parlano i giornali?».

Maigret si avvicinò alla porta per assicurarsi che nessuno li stesse ascoltando.

«Sì, signor giudice» ammise infine. «Avevo bisogno di un uomo dai connotati il più possibile anonimi e con un volto che non fosse familiare né al pubblico né alla stampa. Il povero Mazet è molto cambiato durante il soggiorno in Africa. Capisce?».

«Non tanto».

«Io ai cronisti non ho rilasciato nessuna dichiarazione. Non ho pronunciato una sola parola che li inducesse a credere che quella visita aveva una qualche attinenza con i delitti di Montmartre».

«Però non ha smentito».

«Ho ripetuto più volte che non avevo niente da dire. Il che è la verità».

«Risultato...» disse il piccolo giudice alzando la voce e indicando di nuovo i giornali.

«Proprio quello che desideravo raggiungere».

«Senza consultarmi, ovviamente. Senza nemmeno tenermi al corrente».

«È stato soltanto, giudice, per non far ricadere su di lei quella che è una mia responsabilità».

«Ma che cosa spera di ottenere?».

La pipa di Maigret ormai era spenta. Lui la riaccese con aria pensosa, poi lentamente rispose:

«Per il momento non lo so ancora. Ho solo ritenuto che valesse la pena tentare».

Coméliau sembrava come smarrito e fissava la pipa di Maigret, a cui non era mai riuscito ad abituarsi. Il commissario era infatti l'unico che si permetteva di fumare nel suo studio e il giudice la considerava una sorta di sfida.

«Si accomodi, commissario» disse infine, a malincuore.

Ma prima di sedersi anche lui andò ad aprire la finestra.

2
Le teorie del professor Tissot

La sera del venerdì precedente Maigret e sua moglie si erano incamminati senza fretta verso rue Picpus, dove li attendeva una cena tra amici. Nelle strade del quartiere la gente se ne stava seduta sulla soglia di casa e molti avevano addirittura trasportato le sedie sul marciapiede.

La consueta routine delle cene mensili a casa del dottor Pardon aveva subìto, da circa un anno, una piccola variazione. Oltre ai coniugi Maigret, il dottore aveva infatti preso l'abitudine di invitare un suo collega, quasi sempre un uomo la cui personalità o la cui attività medica risultava di grande interesse. Così non di rado il commissario si trovava seduto di fronte a un primario o a un illustre professore.

All'inizio non si era reso conto che, in realtà, erano stati loro a chiedere di incontrarlo, e che una volta lì lo studiavano subissandolo di domande. Avevano tutti sentito parlare di lui ed erano curiosi di conoscerlo. E poiché avvertivano quasi subito che il commissario si muoveva sul loro stesso terreno le conversazioni del dopocena si protraevano a volte fino a tarda notte – merito anche dei buoni liquorini serviti nel comodo salotto dei Pardon, le cui finestre, spesso spalancate, davano sulla strada gremita di gente.

Dopo quelle lunghe chiacchierate, era accaduto più di una volta che l'interlocutore di Maigret, guardandolo con aria seria, gli chiedesse di punto in bianco:

«Non le è mai venuta la tentazione di fare Medicina?».

Lui, quasi arrossendo, rispondeva che in verità era stata quella la sua prima vocazione, ma che la morte del padre lo aveva costretto ad abbandonare gli studi.

Era strano come riuscissero a percepire nel commissario, dopo tanti anni, quell'antica passione. In fondo, loro e il commissario si interessavano all'essere umano, ai suoi dolori e ai suoi fallimenti in maniera molto simile.

Maigret si sentiva lusingato, e non faceva niente per nasconderlo, nel constatare che medici di fama mondiale si mettevano a parlare di lavoro con lui come si fa tra colleghi.

Poiché da mesi tutti non pensavano ad altro che all'assassino di Montmartre, era probabile che quella sera Pardon avesse scelto i suoi ospiti a ragion veduta. Il dottore era un uomo molto semplice, certo, ma capace di delicate attenzioni. Quell'anno aveva preso le ferie prestissimo, in giugno, perché non aveva trovato un sostituto che fosse disponibile in un altro periodo.

Quando Maigret e sua moglie arrivarono a casa dei Pardon, in salotto, davanti al vassoio degli aperitivi, c'era già una coppia: lui un pezzo d'uomo, con la stazza del contadino e una bella testa di capelli grigi tagliati a spazzola su un viso sanguigno; lei una brunetta che sprizzava vitalità da tutti i pori.

Pardon fece le presentazioni:

«I coniugi Maigret... La signora Tissot... Il professor Tissot».

Si trattava del famoso professor Tissot, primario del Sainte-Anne, l'ospedale psichiatrico di rue Cabanis. Tissot veniva spesso chiamato a testimoniare in tribunale in caso di perizia, ma Maigret non aveva mai avuto occasione di incontrarlo di persona. Quella sera scoprì uno psichiatra solido, umano e gioviale come ancora non gli era capitato di conoscerne.

Si misero subito a tavola. Faceva caldo, ma a cena quasi conclusa prese a cadere una sottile pioggerellina il cui lieve ticchettio, grazie alle finestre aperte, fece da sottofondo al resto della serata.

Il professor Tissot non lasciava mai Parigi d'estate poiché, pur avendo un appartamento in città, rientrava quasi ogni sera nella sua tenuta di Ville-d'Avray.

Come gli invitati che lo avevano preceduto, anche il professore, mentre parlava del più e del meno, iniziò a osservare il commissario lanciandogli delle rapide occhiate, quasi che ognuno di quegli sguardi aggiungesse una pennellata all'immagine che via via si faceva di lui. Fu solo quando tornarono in salotto e le signore si misero a chiacchierare tra di loro che Tissot gli chiese a bruciapelo:

«Non la spaventa un po' la sua responsabilità?».

Maigret capì immediatamente.

«Suppongo che stia parlando degli omicidi del XVIII...».

Il suo interlocutore assentì limitandosi ad abbassare le palpebre. In effetti, per il commissario quel caso era uno dei più angoscianti di tutta la sua carriera. Questa volta non si trattava solo di scoprire l'autore di un omicidio. E anche l'opinione pubblica non si aspettava unicamente di vedere punito un assassino, come accade di solito.

C'era in ballo una questione di sicurezza. Erano

morte cinque donne e niente faceva supporre che l'elenco non fosse destinato ad allungarsi.

I metodi tradizionali sembravano non funzionare. Lo provava il fatto che l'aver messo in moto subito dopo il primo omicidio tutto il meccanismo poliziesco non era servito a impedire all'assassino di colpire di nuovo.

Maigret intuì a cosa alludeva Tissot parlando della sua responsabilità: il destino di un certo numero di donne dipendeva da lui, o più esattamente *dal modo in cui lui avrebbe affrontato il problema*.

Forse anche Pardon la pensava allo stesso modo ed era appunto per quel motivo che aveva combinato l'incontro con Tissot.

«Benché per certi versi questo per me sia pane quotidiano,» proseguì lo psichiatra «non vorrei essere al suo posto, con la popolazione nel panico, i giornali che non fanno niente per rassicurarla e i pezzi grossi che reclamano di adottare provvedimenti contraddittori. Perché il quadro della situazione è questo, vero?».

«Direi proprio di sì».

«Immagino che lei abbia notato le caratteristiche che accomunano i vari omicidi».

Il professore era entrato subito nel cuore dell'argomento e Maigret aveva quasi l'impressione di parlare con un collega della Polizia giudiziaria.

«Commissario,» incalzò il professor Tissot «posso chiederle in via del tutto personale l'elemento che l'ha colpita di più?».

Quella sì che era una domanda rognosa. Maigret sentì che stava arrossendo, cosa che gli accadeva di rado.

«La tipologia delle vittime» rispose comunque senza esitare. «Lei mi ha chiesto la caratteristica principale, no? Ma ce ne sono molte altre.

«Quando vengono commessi degli omicidi in serie, come in questo caso, la nostra prima preoccupazione è scoprire che cosa li accomuna».

Con in mano il suo bicchiere di armagnac, Tissot annuì. Dopo la cena, il suo viso si era fatto di un bel colore acceso.

«L'ora, per esempio?».

Si sentiva in lui la voglia di dimostrare che conosceva il caso e che lo aveva studiato, attraverso i giornali, da tutti i punti di vista, incluso quello prettamente poliziesco.

Maigret provò quasi tenerezza per lui, e questa volta sorrise.

«Effettivamente, l'ora è importante. Il primo omicidio è avvenuto alle otto di sera ed era febbraio. Dunque faceva buio. Il delitto del 3 marzo è stato commesso un quarto d'ora dopo, e così via fino a luglio, quando il nostro uomo ha colpito pochi minuti prima delle dieci. È chiaro che l'assassino aspetta che sia notte».

«E riguardo alle date?».

«Le ho esaminate cento volte, tanto che mi si ingarbugliano tutte nella testa. Le farei vedere, sulla mia scrivania c'è un calendario zeppo di annotazioni scritte in nero, in blu, in rosso. Ho provato tutti i sistemi, tutte le chiavi di lettura, come per decifrare un linguaggio segreto. All'inizio si è parlato anche della luna piena».

«La gente dà molta importanza alla luna quando si trova di fronte eventi che non riesce a spiegare».

«Lei ci crede?».

«Come medico, no».

«E come uomo?».

«Non saprei».

«Sta di fatto che anche questa spiegazione non regge, dal momento che solo due aggressioni su cinque sono avvenute in sere di luna piena. Così ho iniziato a cercare dell'altro. I giorni della settimana, per esempio. Il sabato è il giorno in cui di solito la gente si ubriaca. Ma solo uno degli omicidi è stato commesso di sabato. E poi in alcuni mestieri il giorno di riposo non è necessariamente la domenica».

Aveva come l'impressione che anche Tissot avesse già vagliato queste diverse ipotesi.

«La prima costante, diciamo così, che sembra emergere è il quartiere. È evidente che l'omicida lo conosce a menadito, compresi gli angolini più reconditi. E se fino a ora non solo non è stato preso, ma non è nemmeno mai stato visto, è proprio grazie alla perfetta conoscenza che ha delle strade, delle zone più o meno illuminate e della distanza fra un punto del quartiere e un altro».

«La stampa ha parlato di un testimone che afferma di averlo visto».

«Abbiamo sentito tutti nel quartiere. In avenue Rachel, un'inquilina del primo piano è la più determinata nel dire che si tratta di un tipo alto, magro, con un impermeabile giallognolo e un cappello di feltro calato davanti agli occhi. Questa però è la tipica descrizione che viene fornita in casi analoghi, e noi tendiamo sempre a diffidarne. Per di più, abbiamo avuto modo di constatare che è impossibile vedere il punto in cui è avvenuto l'omicidio dalla finestra da cui la donna dice che era affacciata.

«C'è poi la testimonianza del ragazzino, più credibile ma talmente vaga da risultare inutilizzabile. Quella però riguarda l'omicidio di rue Durantin. Se lo ricorda?».

Tissot annuì.

«Insomma, l'uomo conosce il quartiere come le sue tasche, quindi la gente ritiene che abiti lì, e in tutta la zona si è creata un'atmosfera davvero angosciante. Ognuno guarda con diffidenza il proprio vicino. Abbiamo ricevuto centinaia di lettere in cui ci venivano segnalati comportamenti strani da parte di persone del tutto normali.

«Abbiamo anche preso in considerazione l'ipotesì che l'uomo in questione non abiti nel quartiere, ma che ci lavori».

«Certo che tutto questo richiede un impegno enorme» notò Tissot.

«Sì, migliaia di ore di lavoro. Per non parlare del tempo necessario per effettuare le ricerche negli archivi o per controllare le liste di tutti i criminali e i maniaci. Il suo ospedale avrà ricevuto, come gli altri, un questionario sui pazienti rimessi in libertà negli ultimi anni».

«I miei collaboratori lo hanno compilato».

«Quello stesso questionario è stato inviato ai medici e agli istituti psichiatrici non solo della provincia ma anche all'estero».

«Prima lei ha accennato anche ad altre costanti».

«Avrà visto le fotografie delle vittime sui giornali. Sono state ovviamente pubblicate in date diverse. Non so se per curiosità ha provato a metterle una accanto all'altra...».

Il professore annuì di nuovo.

«Hanno tutte una provenienza diversa. Geografica, innanzitutto. Una è nata a Mulhouse, un'altra nel Sud della Francia, un'altra ancora in Bretagna, due a Parigi o nella periferia parigina.

«Ma anche professionalmente non c'è niente che le accomuni: una prostituta, una levatrice, una sarta, un'impiegata delle poste e una madre di famiglia.

«Inoltre, non tutte abitavano nel quartiere.

«E abbiamo potuto stabilire che non si conoscevano tra loro. Anzi, molto probabilmente, non si erano nemmeno mai incontrate».

«Non immaginavo che si tenesse conto di tutti questi aspetti».

«Se è per questo, ci siamo spinti ben oltre. Abbiamo accertato, per esempio, che le donne non frequentavano la stessa chiesa o lo stesso macellaio, non avevano né lo stesso medico né lo stesso dentista e nemmeno andavano regolarmente nello stesso cinema o nella stessa sala da ballo. Come le ho detto: migliaia di ore di lavoro...».

«E che cosa ne avete concluso?».

«Niente. Del resto non speravo di ricavarci qualcosa, ma era mio dovere controllare. Siamo tenuti a non tralasciare nemmeno la più piccola possibilità».

«E alle vacanze, ci ha pensato?».

«Capisco cosa intende dire: avrebbero potuto andare in vacanza ogni anno nello stesso posto, in campagna o al mare. Ma non è così».

«Insomma l'assassino le sceglierebbe a caso, come capita?».

Maigret era persuaso che il professor Tissot non credesse affatto a quell'ipotesi, e che in realtà avevano notato entrambi la stessa cosa.

«No. Non esattamente. Come le ho già detto, esaminando con cura le fotografie di quelle donne emerge un elemento comune: la corporatura robusta. Se non ci si sofferma sul volto e ci si limita a osservare la struttura fisica, si nota subito che sono tutte e cinque piuttosto basse e rotondette, potremmo quasi dire grasse, con i fianchi larghi e la vita tutt'altro che sottile. Era così anche Monique Juteaux, la più giovane delle cinque».

Il dottor Pardon e il professor Tissot si scambiarono uno sguardo. Quello del dottore sembrava voler dire:

«Visto che l'aveva notato anche lui? Ci avrei scommesso!».

Tissot sorrise.

«Caro commissario, le faccio i miei complimenti. Devo constatare che non ho nulla da insegnarle».

E dopo una breve pausa aggiunse:

«Ne avevo parlato con Pardon e mi ero chiesto se la polizia se ne sarebbe accorta. In fondo, oltre al fatto che da tempo desideravo conoscerla, è anche un po' questo il motivo per cui stasera il dottore ha invitato me e mia moglie».

Il padrone di casa propose ai suoi ospiti, che durante tutta la conversazione erano rimasti in piedi, di andare a sedersi in un angolo del salotto, vicino a una finestra da cui proveniva il suono di una radio. La pioggia, adesso, era così lieve che ogni gocciolina sembrava sovrapporsi delicatamente alle altre tanto da formare sul selciato come uno strato di lacca scura.

Fu Maigret a riprendere il discorso.

«Sa, professore, qual è la questione che più mi turba e che, una volta risolta, a mio parere ci consentirebbe di mettere le mani sull'assassino?».

«Mi dica».

«Quell'uomo non è più un ragazzino. Ha già vissuto un certo numero di anni, diciamo venti, trenta, forse anche di più, senza commettere omicidi. Ora, nell'arco di sei mesi ha ucciso per ben cinque volte. La domanda che mi pongo riguarda precisamente l'inizio. Perché il 2 febbraio, all'improvviso, ha smesso di essere un cittadino inoffensivo per trasformarsi in un pericoloso maniaco? Voi scienziati avete una qualche spiegazione?».

La domanda del commissario fece sorridere il professor Tissot, che lanciò un'altra occhiata al suo collega.

«Non di rado a noi "scienziati", come dice lei, vengono attribuiti conoscenze e poteri che in realtà non abbiamo. Tuttavia, cercherò di darle una risposta riguardo non solo alla possibile molla iniziale, ma all'intero caso.

«Non userò nessun termine tecnico, visto che molto spesso questi servono solo a mascherare la nostra ignoranza. Vero, Pardon?».

Tissot alludeva probabilmente a certi colleghi con cui aveva il dente avvelenato, dal momento che i due sembrarono capirsi al volo.

«Davanti a una serie di omicidi come questa, la reazione più ovvia è quella di affermare che si tratta di un maniaco o di un pazzo. Diciamo che grosso modo è così. Uccidere cinque donne in quella maniera, senza motivo apparente, e lacerarne poi gli abiti, non è certo un comportamento da persona normale, nell'accezione comune del termine.

«Stabilire poi perché e come questo sia iniziato resta una questione molto complessa, a cui è difficile dare una risposta.

«Quasi ogni settimana vengo chiamato a testimoniare in Corte d'assise in qualità di esperto. Nel corso della mia carriera ho avuto modo di constatare un'evoluzione talmente rapida del concetto di responsabilità in materia di criminalità da poter oggi tranquillamente affermare che in definitiva è la nozione stessa di giustizia ad aver subìto un mutamento, per non dire addirittura uno stravolgimento.

«Una volta ci veniva chiesto:

«"Al momento del delitto, l'accusato era responsabile delle sue azioni?".

«E allora il termine "responsabile" aveva un significato abbastanza preciso.

«Oggi ci viene chiesto di valutare la responsabilità dell'Uomo con la *u* maiuscola. Tant'è che spesso ho l'impressione che non siano più né i magistrati né i giurati a decidere la sorte di un criminale, ma noi psichiatri.

«E invece va detto che il più delle volte noi ne sappiamo esattamente quanto un profano.

«La psichiatria è una scienza finché si ha a che fare con traumi, tumori, trasformazioni anomale di una certa ghiandola o di una data funzione fisiologica.

«Effettivamente, in casi simili, siamo in grado di dichiarare con cognizione di causa se un individuo è sano o malato, responsabile o non responsabile delle sue azioni.

«Ma sono situazioni estremamente rare e la maggior parte di queste persone sono rinchiuse negli ospedali psichiatrici.

«Perché mai gli altri, tra cui probabilmente l'individuo di cui stiamo parlando, agiscono in maniera diversa dai loro simili?

«Riguardo a questo, commissario, credo che lei ne sappia quanto noi, se non addirittura qualcosina di più».

In quel momento la signora Pardon si avvicinò al gruppetto degli uomini con una bottiglia di armagnac.

«Continuate pure. Noi siamo tutte prese a scambiarci ricette di cucina. Gradisce ancora un po' di armagnac, professore?».

«Un mezzo bicchierino, grazie».

Chiacchierarono così fin dopo l'una del mattino, avvolti da una luce tenue come la pioggerellina che continuava a cadere. Maigret non era riuscito a tenere a mente per intero quella lunga conversazione, che spesso era deviata su argomenti paralleli.

Ricordava però una frase che Tissot aveva detto con l'ironia di chi ha un vecchio conto in sospeso:

«Se seguissi ciecamente le teorie di Freud, di Adler o degli psicoanalisti del giorno d'oggi, non esiterei ad affermare che il nostro uomo è un maniaco sessuale, benché nessuna delle vittime abbia subìto violenza.

«Potrei parlare anche di complessi, risalire a eventi chiave della sua prima infanzia...».

«Lei respinge simili spiegazioni?».

«Non le respingo, solo diffido di quelle troppo facili».

«Ha per caso una sua teoria personale?».

«Una vera teoria, no. Un'idea, forse, ma le confesso che ho un po' di timore a parlarne con lei, anche perché so bene che la responsabilità dell'inchiesta è tutta sulle sue spalle. È anche vero che le abbiamo entrambi belle larghe... Origini contadine, vero?».

«Sì, vengo dall'Allier».

«E io dal Cantal. Mio padre ha ottantotto anni e abita ancora nella sua cascina».

Era evidentemente più orgoglioso di quello che dei suoi titoli accademici.

«Ho avuto a che fare con parecchi malati di mente, o mezzo matti, per usare un'espressione non propriamente dotta, che avevano commesso degli atti criminali. E a proposito delle costanti di cui lei parlava prima, potrei dire di averne notata una che ricorre quasi sempre in questi individui: un bisogno, più o meno conscio, di affermazione di sé. Capisce cosa intendo?».

Maigret annuì.

«Provenivano quasi tutti da un ambiente familiare in cui, a torto o a ragione, erano considerati da sempre come degli inetti, dei mediocri o dei ritardati, e questo li umiliava. Tuttavia, né io né i miei colleghi siamo ancora riusciti a stabilire per quale motivo questa umiliazione, a lungo repressa, all'improvviso esplode sfociando in un omicidio, un'aggressione, una bravata o comunque un gesto di sfida.

«Quello che sto dicendo forse non è molto ortodosso, soprattutto esposto in modo così sintetico, ma io sono convinto che la maggior parte degli omicidi cosiddetti immotivati, e specialmente quelli seriali, siano una manifestazione di orgoglio».

Divenuto improvvisamente pensieroso, Maigret mormorò:

«Quello che ha detto coincide con una riflessione che mi è capitato di fare».

«Sarebbe a dire?».

«Che se i criminali non sentissero prima o poi il bisogno di vantarsi delle proprie azioni le prigioni sarebbero decisamente più vuote. Sa dove va subito la polizia quando deve cercare l'autore di un delitto? Un tempo andava nelle case di tolleranza, e oggi che queste non esistono più direttamente nei letti di prostitute più o meno note. Lì i delinquenti parlano! Sono convinti che farlo con loro è come se non contasse, convinti di non rischiare niente, il che nella maggior parte dei casi poi è vero. A loro raccontano tutto, e spesso ci ricamano pure sopra».

«Ci avete provato anche stavolta?».

«In questi ultimi mesi non c'è una prostituta in tutta Parigi, soprattutto nell'area di Clichy e Montmartre, che non sia stata interrogata».

«Con qualche risultato?».

«No».

«Dunque è peggio di come pensassi».

«Intende dire che non essendosi sfogato l'assassino, fatalmente, ricomincerà?».

«Più o meno».

Negli ultimi tempi Maigret aveva studiato tutti i casi storici che avevano una qualche analogia con la vicenda del XVIII arrondissement. Da Jack lo Squartatore al Mostro di Düsseldorf, passando per il Lampionaio di Vienna e il Polacco delle fattorie dell'Aisne.

«Lei crede che non si fermino mai per scelta?» proseguì Maigret. «C'è però il precedente di Jack lo Squartatore, che da un giorno all'altro ha smesso di far parlare di sé».

«Chi può provare che non sia stato vittima di un incidente o sia morto di malattia? Ma voglio spingermi oltre, commissario, e ora non parlo più in qualità di primario del Sainte-Anne, visto che quello che sto per dirle va ben al di là delle teorie ufficiali.

«Gli individui come quello che state cercando sono spinti, a loro stessa insaputa, dal bisogno di farsi prendere. Si tratta anche in questo caso di una forma di orgoglio. Non sopportano l'idea che la gente attorno a loro continui a considerarli come degli esseri comuni. Devono poter gridare al mondo quello che hanno fatto, quello di cui sono stati capaci.

«Ciò non significa che si facciano arrestare apposta, ma in genere a ogni nuovo crimine adottano sempre meno precauzioni, come se volessero sfidare la polizia, o il destino.

«Alcuni mi hanno confessato che per loro era stato un sollievo, alla fine, essere arrestati».

«È capitato anche a me».

«Proprio così!».

Difficile stabilire, a quel punto, di chi fu l'idea. La serata era stata molto lunga e i due uomini avevano sviscerato l'argomento sotto tanti di quegli aspetti che ormai diventava arduo attribuire con precisione a uno piuttosto che all'altro la formulazione di un pensiero.

Forse era stato il professor Tissot il primo ad abbozzare l'idea, ma lo aveva fatto in maniera così discreta che nemmeno il suo amico Pardon se n'era reso conto.

Era già ormai mezzanotte passata quando Maigret, come parlando tra sé e sé, mormorò:

«Supponiamo che arrestassimo qualcun altro, uno che prendesse in un certo senso il posto del nostro assassino, defraudandolo così di quello che per lui è la sua gloria...».

Eccola, l'idea.

«In effetti,» rispose Tissot «credo che il vostro uomo sarebbe colto da un grande senso di frustrazione».

«Resta da sapere come reagirebbe a quel punto. E anche *quando* reagirebbe».

I pensieri di Maigret erano già andati oltre e, tralasciando la teoria, cercavano delle soluzioni pratiche.

Ignoravano tutto dell'assassino. Non possedevano alcuna informazione riguardo ai suoi connotati. Fino a quel momento egli aveva agito in un solo quartiere, all'interno di un'area ben delimitata, ma niente escludeva che un domani sarebbe potuto entrare in azione in un altro punto di Parigi o addirittura in un posto diverso.

La minaccia era angosciante proprio perché rimaneva vaga, imprecisa.

Il prossimo omicidio sarebbe stato tra un mese o magari solo fra tre giorni?

Le strade di Parigi non potevano restare eternamente in stato di assedio. E le donne stesse, che dopo ogni omicidio rimanevano rintanate in casa, riprendevano dopo poco la loro vita normale e si arrischiavano a uscire di sera credendo che il pericolo fosse scongiurato.

«Ci sono stati un paio di casi» proseguì Maigret dopo una pausa «in cui dei criminali hanno scritto ai giornali per protestare contro l'arresto di innocenti».

«Questi individui scrivono spesso ai giornali, spinti da quello che a mio parere è un aspetto del loro esibizionismo».

«Questo sì che ci darebbe una mano».

Fino a quel momento l'indagine era stata talmente priva di elementi su cui basarsi che anche una lettera anonima scritta con parole ritagliate dai giornali avrebbe potuto rivelarsi un buon punto di partenza.

«È chiaro che l'omicida potrebbe scegliere una soluzione diversa...».

«Stavo pensando la stessa cosa».

Una soluzione semplicissima: subito dopo l'arresto del presunto colpevole bastava commettere un altro omicidio simile ai precedenti! Magari anche più di uno...

Gli ospiti del dottor Pardon si salutarono sul marciapiede, davanti all'auto del professore che rientrava con la moglie a Ville-d'Avray.

«Vi do un passaggio fino a casa?».

«Abitiamo qui nel quartiere e non ci dispiace fare quattro passi».

«Ho come la sensazione che anche per il suo caso sarò chiamato in Corte d'assise in qualità di esperto».

«Sempre che io riesca a prendere il colpevole».

«Ci conto».

Si scambiarono una stretta di mano e Maigret ebbe l'impressione che quella sera fosse nata un'amicizia.

«Peccato che tu non sia riuscito a parlare con lei» disse poco dopo la signora Maigret camminando a fianco del marito. «È la donna più intelligente che abbia mai incontrato. Suo marito com'è?».

«Un'ottima persona».

Come quando era bambino, il commissario iniziò di nascosto a tirar fuori la lingua per prendere al volo qualche gocciolina di quella pioggia fresca e gustosa che doveva avere un sapore speciale. La signora Maigret se ne accorse benissimo, ma fece finta di niente.

«Sembravate impegnati in una discussione molto seria».

«Già...».

E sull'argomento non disse altro. Una volta a casa, si accorsero che dalle finestre lasciate aperte era entrata un po' d'acqua, e così la signora Maigret si mise ad asciugare il parquet.

Maigret prese la decisione forse mentre si addormentava. O forse al risveglio, il giorno seguente. Il caso volle che nel corso della mattinata Pierre Mazet, un ex ispettore che non vedeva da otto anni, si presentasse nel suo ufficio.

«Cosa ci fai qui a Parigi?».

«Niente capo. Cerco di rimettermi in sesto. Le zanzare africane mi hanno ridotto maluccio e i dottori insistono perché io mi riposi ancora qualche mese. Dopodiché, spero ci sia ancora un posticino per me al Quai des Orfèvres».

«Figurarsi!».

Pierre Mazet. E perché no? Era sveglio, e non c'era rischio che venisse riconosciuto.

«Me lo faresti un favore?».

«E me lo chiede?».

«Passa a prendermi verso mezzogiorno e mezzo. Pranzeremo insieme».

Non avrebbero mangiato alla brasserie Dauphine. Lì qualcuno avrebbe potuto notarli.

«Anzi, è meglio che tu non torni qui. Evita anche di passare per gli altri uffici e aspettami davanti al métro di Châtelet».

Pranzarono in un piccolo ristorante di rue Saint-Antoine e il commissario spiegò a Mazet che cosa voleva da lui.

Perché la cosa risultasse verosimile bisognava però che Mazet non venisse portato alla Polizia giudiziaria da qualcuno del Quai des Orfèvres, ma da un ispettore del XVIII arrondissement. Maigret pensò subito a Lognon. Chissà mai che per lui quella potesse essere finalmente l'opportunità giusta per trovarsi più intimamente coinvolto nell'inchiesta, invece di stare a pattugliare le strade di Montmartre.

«Scelga lei un collega capace di tenere la bocca chiusa» raccomandò a Lognon.

E lui aveva scelto Alfonsi.

Alla fine, la messinscena era stata un successone: tutti i giornali parlavano già di un arresto sensazionale.

«Hanno visto un gran viavai nei nostri uffici e hanno tratto le conclusioni da soli» ripeté Maigret al giudice Coméliau. «Noi non gli abbiamo detto niente, né io né i miei collaboratori. Anzi, abbiamo negato tutto».

Era raro vedere un sorriso, sia pure ironico, sul viso del giudice Coméliau.

«E se per via di questo arresto – o meglio di questo falso arresto – a partire da stasera la gente non prendesse più nessuna precauzione e ci fosse un altro omicidio?».

«Ci ho già pensato. Per prima cosa, nelle prossime sere tutti i nostri uomini e quelli del commissariato del XVIII arrondissement sorveglieranno scrupolosamente il quartiere».

«Mi sembra che questo sia già stato fatto, senza alcun risultato...».

Era vero. Ma valeva almeno la pena di tentare.

«Ho adottato un'altra precauzione. Sono andato dal questore».

«Senza consultarsi con me?».

«Come le ho detto, voglio essere l'unico responsabile di quello che potrebbe succedere. Io sono solo un poliziotto. Lei è un magistrato».

Quell'affermazione piacque a Coméliau, che assunse un atteggiamento più comprensivo.

«Che cosa ha chiesto al questore?».

«L'autorizzazione a usare come volontarie alcune donne che lavorano nella Polizia municipale».

Si trattava di un corpo ausiliario attivo in genere solo nel settore dell'infanzia e della prostituzione.

«Mi ha già messo a disposizione un gruppetto di donne con dei requisiti ben precisi».

«Ad esempio?».

«Piccole di statura e ben in carne. Ho scelto le volontarie fisicamente più simili alle vittime. Saranno vestite come erano vestite loro, cioè in un modo qualunque. E dovranno dare l'impressione di essere donne del quartiere che stanno sbrigando delle commissioni nella zona. Alcune di loro avranno in mano un pacchetto o una borsa della spesa».

«In poche parole, sta tendendo una trappola».

«Tutte le donne selezionate hanno seguito dei corsi di difesa personale e di judo».

Coméliau continuava comunque a essere preoccupato.

«Devo parlarne al procuratore generale?».

«Sarebbe meglio di no».

«Lo sa, commissario, che tutta questa storia non mi piace affatto?».

«Nemmeno a me, signor giudice!» rispose Maigret, con disarmante candore.

Era vero.

Ma bisognava tentare, con ogni mezzo, di fermare quell'ecatombe.

«Dunque, ufficialmente, io non sono al corrente di nulla, è così?» disse il magistrato accompagnando alla porta il commissario.

«Lei è all'oscuro di tutto».

Maigret avrebbe tanto voluto che fosse così.

3

Un quartiere in stato d'assedio

Tra i giornalisti che trascorsero buona parte della giornata nel corridoio del Quai des Orfèvres c'erano il Barone, che frequentava la Polizia giudiziaria più o meno da quando ci era entrato Maigret, Rougin, giovanissimo ma già più furbo di altri suoi colleghi, e un gruppetto di cronisti di calibro decisamente inferiore. Una di loro era Maguy, in realtà la più pericolosa di tutti perché con la sua aria innocente non si faceva scrupolo ad aprire porte incautamente non chiuse a chiave o a prelevare fogli lasciati sulle scrivanie. Avevano trasformato il corridoio del Quai des Orfèvres nel loro quartier generale.

Ogni tanto il grosso della combriccola spariva per andare a telefonare o a rifocillarsi alla brasserie Dauphine, ma c'era sempre qualcuno che rimaneva di guardia, sicché l'ufficio di Maigret fu continuamente sorvegliato.

Rougin aveva avuto l'idea di mettere alle calcagna di Lognon qualcuno del giornale, e così l'ispettore si trovò a essere pedinato fin dal mattino, appena mise piede fuori dalla sua casa di place Constantin-Pecqueur.

Loro, i giornalisti, ne sapevano una più del diavolo ed erano addentro ai meccanismi della polizia quasi quanto un ispettore con parecchi anni di servizio.

Eppure, nessuno di loro subodorò alcunché dell'operazione che si svolgeva sotto il loro naso, ovvero di quella gigantesca commedia che aveva preso il via con lo spuntare del giorno, molto prima che Maigret si recasse dal giudice Coméliau.

Quella mattina, alcuni poliziotti che facevano capo ad arrondissement notevolmente lontani, come il XII, il XIV e il XV, erano usciti di casa con abiti diversi dai soliti e, seguendo le istruzioni, si erano recati in una delle stazioni ferroviarie della capitale, chi portandosi dietro una valigia, chi addirittura un baule.

Faceva caldo né più né meno del giorno prima e la vita, eccetto nei quartieri frequentati dai turisti, scorreva al rallentatore. Un po' ovunque si vedevano sfilare pullman stipati di stranieri e si udivano le voci delle guide.

Nel XVIII arrondissement, e in particolare nell'area in cui erano stati commessi i cinque omicidi, dei taxi si fermavano davanti agli alberghi e ai meublé scaricando clienti i cui bagagli indicavano chiaramente che si trattava di gente arrivata dalla provincia. Chiedevano una camera, insistendo quasi sempre che le finestre dessero sulla strada.

L'operazione si svolgeva secondo un piano ben preciso e alcuni ispettori avevano ricevuto l'ordine di farsi accompagnare dalla moglie.

Era raro che la polizia prendesse simili precauzioni. Ma questa volta non c'era da fidarsi: dell'assassino non si sapeva niente. Anche di questo avevano discusso Maigret e Tissot a casa dei Pardon.

«Insomma, passato il momento di crisi, l'assassino si comporta come una persona normale, altrimenti le sue stramberie avrebbero già attirato l'attenzione di qualcuno».

«Proprio così» aveva confermato lo psichiatra. «Ed è anche probabile che il suo aspetto, la professione e il modo di fare lo rendano del tutto insospettabile».

Non si trattava di uno dei tanti maniaci sessuali noti alla polizia e tenuti costantemente d'occhio dal 2 febbraio in poi, senza risultati. E nemmeno di uno sbandato, uno di quegli esseri inquietanti che, per strada, ci si gira a guardare.

Cosa aveva fatto fino al momento del suo primo delitto? Cosa faceva tra un omicidio e l'altro?

Era uno di quei tipi che vivono da soli in un appartamentino o in un meublé?

Maigret avrebbe giurato che non era così, che l'uomo in questione era sposato e conduceva una vita regolare. Anche Tissot propendeva per questa ipotesi.

«Tutto è possibile» aveva detto il professore con un profondo sospiro. «Se venissi a sapere che è uno dei miei colleghi, non mi resterebbe che prenderne atto. Può essere chiunque: un operaio, un impiegato, un commerciante o un importante uomo d'affari».

Dunque poteva essere anche uno dei proprietari degli alberghi che erano stati praticamente invasi dai poliziotti. Ecco perché gli agenti non potevano presentarsi dichiarando, come spesso accadeva:

«Polizia! Mi dia una stanza che dà sulla strada e tenga la bocca chiusa».

Ed era meglio non fidarsi nemmeno delle portinaie. Né dei soliti informatori del quartiere.

Lasciato lo studio del giudice, Maigret tornò in ufficio e, come il giorno prima, venne assalito dai giornalisti.

«È stato convocato dal giudice istruttore?».

«Sono andato a trovarlo, come faccio tutte le mattine».

«Lo ha messo al corrente dell'interrogatorio di ieri?».

«Abbiamo chiacchierato».

«Non ci dice ancora niente?».

«Non ho niente da dire».

Passò nell'ufficio del grande capo quando il rapporto era ormai finito da un pezzo, e trovò anche lui preoccupato.

«Coméliau non le ha chiesto di lasciar perdere?».

«No, ma è chiaro che alla prima grana mi scaricherà».

«È sempre convinto del suo piano?».

«Devo esserlo per forza».

Maigret non faceva quel tentativo a cuor leggero ed era consapevole delle responsabilità che si assumeva.

«Pensa che ai giornalisti riusciremo a dargliela a bere fino alla fine?».

«Sto facendo di tutto perché sia così».

Maigret era solito collaborare in maniera più che cordiale con la stampa, che per altro ricambiava spesso con favori preziosi. Ma questa volta non voleva rischiare di far trapelare indiscrezioni di nessun genere. Perfino gli ispettori che avevano invaso il quartiere delle Grandes-Carrières ignoravano cosa si stesse preparando con esattezza. Avevano ricevuto l'ordine di agire in un certo modo, di appostarsi in un determinato luogo e di attendere istruzioni. Ovviamente sospettavano che si trattasse del caso dei cinque omicidi, ma dell'operazione nel suo insieme non sapevano niente.

«Lei crede che sia una persona intelligente?» aveva chiesto Maigret al professor Tissot.

Il commissario aveva già una sua idea al riguardo, ma desiderava riceverne la conferma.

«Penso che abbia quel tipo d'intelligenza che caratterizza la maggior parte di questi individui. Immagino, per esempio, che il nostro uomo sia istintivamente capace di recitare la commedia in maniera egregia. Per non parlare poi del suo sangue freddo: ammettendo che sia sposato, quando torna a casa dopo uno dei suoi omicidi deve per forza comportarsi normalmente. E anche se è celibe, incontrerà comunque altre persone, che so io, la padrona di casa, o la portinaia, o la donna delle pulizie. E il giorno dopo, quando va in ufficio o in bottega, ci sarà pure qualcuno che parlerà dell'assassino di Montmartre.

«Ebbene, in sei mesi nessuno ha mai sospettato di lui. Inoltre, non ha sbagliato nemmeno una volta né il momento né il luogo in cui colpire. Non c'è un solo testimone che possa affermare di averlo visto in azione o mentre scappava dal luogo del delitto».

Le parole di Tissot avevano indotto il commissario a formulare una domanda che lo angosciava.

«Mi piacerebbe sapere la sua opinione su un punto preciso: lei ha appena detto che per la maggior parte del tempo lui si comporta come una persona normale. Sicché, con ogni probabilità, anche i suoi pensieri sono più o meno quelli di un uomo normale?».

«Capisco cosa intende. Sì, è probabile che sia così».

«Per cinque volte lui ha avuto quello che io definirei un raptus, insomma per cinque volte è uscito dal suo stato di normalità per uccidere. Ma in quale istante scatta l'impulso? Voglio dire: quand'è che smette di comportarsi come lei o me e inizia ad agire da assassino? Gli succede in un momento qualunque della giornata, ma aspetta che scenda la sera e intanto prepara il suo piano d'azione? O invece viene colto dal raptus solo nell'attimo in cui si presenta l'occasione, quando passando in una strada deserta scorge una possibile vittima?».

53

Per Maigret la risposta a quella domanda era di capitale importanza, perché gli avrebbe consentito o di restringere o di allargare il campo delle sue indagini.

Se l'impulso scattava al momento di uccidere, voleva dire che l'uomo abitava nel quartiere delle Grandes-Carrières o nelle immediate vicinanze, o che per qualche motivo, lavoro o altro, vi si recava la sera.

Nel caso contrario era possibile che arrivasse da un posto qualsiasi e avesse scelto le strade comprese tra place Clichy, rue Lamarck e rue des Abbesses per ragioni di mera opportunità o per ragioni che solo lui sapeva.

Tissot aveva riflettuto a lungo prima di rispondere.

«Ovviamente non posso fare una diagnosi come se avessi davanti il paziente...».

Aveva detto «paziente», come se si trattasse di uno dei suoi malati. La parola non sfuggì al commissario, che anzi se ne compiacque: era la conferma che lui e Tissot la vedevano allo stesso modo.

«A mio parere, tuttavia, c'è un momento in cui il nostro uomo decide di andare a caccia, se posso azzardare un paragone, come una belva, un felino, o semplicemente un gatto. Lei ha mai osservato un gatto?».

«Più volte, quando ero giovane».

«I suoi movimenti cambiano. È totalmente concentrato e con tutti i sensi all'erta. Diventa capace di percepire a notevole distanza il minimo suono, il minimo fruscio, anche l'odore più lieve. In quel momento, avverte i pericoli e li evita».

«Credo di capire».

«Il nostro uomo, quando si trova in quello stato, è come se fosse dotato di una doppia vista».

«Immagino che lei non abbia elementi che le

permettano di formulare un'ipotesi su ciò che fa scattare il meccanismo».

«Nessuno. Potrebbe essere un ricordo, la figura di una donna che passa tra la folla, la scia di un particolare profumo, una frase sentita di sfuggita. Può essere qualunque cosa, compresa la vista di un coltello o di un vestito di un certo colore. Qualcuno ha pensato di verificare il colore dei vestiti delle vittime? La stampa non ne ha parlato».

«Le donne indossavano abiti di colori diversi, ma quasi tutti abbastanza neutri da passare inosservate nel buio».

Una volta tornato nel suo ufficio, Maigret si tolse giacca e cravatta, esattamente come aveva fatto il giorno prima, si sbottonò il colletto della camicia e abbassò la tendina color écru della finestra per impedire che il sole colpisse in pieno la sua poltrona. Dopodiché spalancò la porta della stanza degli ispettori.

«Ah, ci sei» fece rivolto a Janvier.

«Sì, capo».

«Novità? Qualche lettera anonima?».

«No, solo gente che denuncia il proprio vicino di casa».

«Controllate comunque. E portatemi qui Mazet».

Il giovanotto non aveva trascorso la notte in guardina: la sera prima era tornato a casa uscendo da una porta secondaria del Palazzo di giustizia. Alle otto del mattino, però, aveva già ripreso il suo posto in una camera di sicurezza.

«Vuole che scenda io a prenderlo?».

«Preferirei».

«Sempre senza manette?».

«Sì».

Maigret non voleva barare fino a quel punto con i giornalisti: che tirassero pure le loro conclusioni in base a quello che vedevano. Meglio non mettersi a truccare le carte.

«Pronto? Per cortesia, mi passi il commissariato

delle Grandes-Carrières... L'ispettore Lognon... Pronto? Lognon?... Ci sono novità da quelle parti?».

«Stamattina qualcuno mi aspettava davanti a casa e mi ha seguito fin qui. Adesso si è piazzato di fronte al commissariato».

«E non si nasconde?».

«No. Secondo me è un giornalista».

«Manda qualcuno a controllargli i documenti. Per il resto, procede tutto come previsto?».

«Ho trovato tre stanze in casa di amici. Ovviamente loro sono all'oscuro di tutto. Vuole gli indirizzi?».

«No. Tu cerca di essere qui fra tre quarti d'ora».

Quando Pierre Mazet comparve nel corridoio della Polizia giudiziaria scortato da due ispettori e sempre con il cappello davanti al viso, si ripeté la stessa scena del giorno prima: i fotografi scatenarono una pioggia di flash e i cronisti urlarono domande che rimasero senza risposta. Nella confusione Maguy riuscì a far cadere il cappello di Mazet, che poi raccolse prontamente da terra mentre lui si copriva la faccia con entrambe le mani.

Appena la porta si richiuse dietro il terzetto, l'ufficio di Maigret si tramutò in una sorta di posto di comando.

Nel frattempo, nelle tranquille viuzze di Montmartre dove molti negozi restavano chiusi quindici o anche trenta giorni durante le vacanze estive, l'operazione procedeva, in sordina.

Più di quattrocento persone erano impegnate a recitare una parte: oltre ai poliziotti appostati negli alberghi e nei pochi appartamenti di cui si era potuto disporre senza suscitare sospetti, c'era chi doveva occupare dei punti ben precisi nelle stazioni del métro, alle fermate degli autobus, e in tutti i bistrot e i ristoranti che rimanevano aperti di sera.

E perché tutto questo non sembrasse un'invasione si procedeva per tappe.

Anche le donne del corpo ausiliario avevano ricevuto per telefono istruzioni dettagliate, e la scrivania di Maigret era ricoperta da mappe del quartiere su cui erano riportate le posizioni di ognuno.

Venti ispettori, scelti tra quelli che solitamente non apparivano in pubblico, avevano affittato – non solo a Parigi ma anche in periferia, Versailles inclusa – delle auto con targhe ordinarie che a tempo debito avrebbero parcheggiato in punti strategici, dove nessuno le avrebbe notate.

«Fa' portare qualche birra, Lucas».

«Anche dei panini?».

«Sì, è meglio».

E questo non solo perché così i giornalisti avrebbero creduto che fosse in corso un nuovo interrogatorio, ma anche perché erano talmente occupati che non avrebbero avuto il tempo di andare a pranzo.

In quel momento arrivò Lognon, sempre con la sua bella cravatta rossa e il cappello di paglia in testa. Guardandolo veniva da chiedersi cosa ci fosse di cambiato in lui, ed era sorprendente constatare fino a che punto il colore di una cravatta potesse trasformare un uomo. Sembrava quasi baldanzoso.

«Quel tizio ti ha seguito?».

«Sì, adesso è in corridoio. Abbiamo controllato: è effettivamente un giornalista».

«Ce ne sono altri attorno al tuo commissariato?».

«Uno si è piazzato addirittura dentro...».

Verso mezzogiorno un giornale parlò della vicenda. Ripeteva le informazioni date dai quotidiani del mattino aggiungendo che al Quai des Orfèvres regnava ancora un'aria febbrile ma che veniva mantenuto il riserbo più assoluto circa l'uomo arrestato.

«Se avessero potuto,» dicevano tra l'altro «gli avrebbero messo una maschera di ferro».

Quella situazione era divertente per Mazet, il quale si trovò ad aiutare i suoi ex colleghi segnando delle crocette rosse e blu sulla cartina della città o facendo anche lui delle telefonate, felice di respirare di nuovo l'atmosfera della Centrale, dove si sentiva già di casa.

L'atmosfera cambiò di colpo quando il cameriere della brasserie Dauphine bussò alla porta dell'ufficio di Maigret. Furono costretti a recitare la commedia anche con lui, ma appena quello uscì tutti si precipitarono su birre e panini.

I giornali del pomeriggio non riportavano messaggi dell'assassino, che a quanto pareva non aveva nessuna intenzione di rivolgersi alla stampa.

«Vado a fare un pisolino, ragazzi. Stasera dovrò essere fresco e riposato».

Passando dalla stanza degli ispettori, Maigret entrò in un ufficetto semivuoto, si sistemò su una poltrona e pochi minuti dopo si era addormentato.

Verso le tre fece riaccompagnare di nuovo Mazet in guardina, dopodiché ordinò a Janvier e a Lucas di andare anche loro a riposarsi. L'ispettore Lapointe, nel frattempo, girava per il quartiere delle Grandes-Carrières al volante di un furgoncino e con indosso una tuta blu. Il berretto calato sulle orecchie e la sigaretta che gli penzolava all'angolo della bocca lo facevano sembrare un ragazzino di diciott'anni. Ogni tanto si fermava in un bistrot per bere un bianchino e ne approfittava per telefonare al quartier generale.

A mano a mano che il tempo passava, tutti cominciavano a dar segni di nervosismo e perfino Maigret perdeva un po' della sua sicurezza.

Niente lasciava supporre che proprio quella sera sarebbe successo qualcosa. Anche se l'assassino avesse deciso di uccidere di nuovo per far sapere di essere sempre in libertà, avrebbe benissimo potuto agire la sera seguente, o quella dopo ancora, oppure otto o dieci giorni più tardi. Ed era impensabile tenere mobilitati a lungo tutti quei poliziotti.

Altrettanto impensabile era riuscire, per un'intera settimana, a mantenere un segreto condiviso da tante persone.

E se invece l'uomo avesse deciso di agire subito?

Nella mente di Maigret riemergevano di continuo frammenti della conversazione avuta con il professor Tissot, che ancora gli ronzava per la testa.

Quando gli sarebbe scattato il raptus? In quel momento, mentre loro erano occupati a tendergli una trappola, per tutti quelli che avevano a che fare con lui era un uomo come gli altri. C'era chi gli parlava, o lo serviva a tavola, o gli stringeva la mano. E lui rispondeva, sorrideva, forse rideva anche.

La molla era già scattata? Magari alla lettura dei giornali del mattino?

O, al contrario, dopo aver scoperto che la polizia credeva di aver arrestato il colpevole e dunque avrebbe smesso di dargli la caccia, pensava di essere al sicuro?

In fondo, cosa provava che lui e Tissot non si fossero sbagliati e non avessero calcolato male la reazione di quello che il professore aveva chiamato «il paziente»?

Fino allora aveva ucciso solo di sera, aspettando che calasse il buio. Ma un po' per via delle vacanze, un po' per il caldo, in tutta Parigi in quel preciso momento vi erano parecchie strade dove potevano trascorrere anche diversi minuti prima che passasse qualcuno.

A Maigret tornarono in mente certe strade del Sud, in estate, con le imposte chiuse nell'ora della siesta, il quotidiano torpore di interi paesi e città sotto un sole a piombo.

Quel giorno, a Montmartre, c'erano delle strade molto simili.

La polizia aveva effettuato diverse ricostruzioni che avevano rivelato come ognuno dei luoghi in cui era stato commesso un delitto fosse situato in modo da permettere all'omicida di scomparire in pochissimo tempo. Certo, più facilmente di sera che di giorno. Ma in circostanze favorevoli lui poteva uccidere, strappare i vestiti della sua vittima e allontanarsi in meno di due minuti, anche senza dover aspettare che facesse buio.

E poi, non doveva per forza succedere per strada. Cosa gli impediva di bussare alla porta di un appartamento dove sapeva che avrebbe trovato una donna sola e di ucciderla come aveva già fatto altrove? Niente, se non il fatto che i maniaci – come la maggior parte dei criminali e perfino dei ladri – usano *quasi sempre* la stessa tecnica e si ripetono fin nei minimi dettagli.

Avrebbe fatto chiaro fin verso le nove di sera, e il buio totale sarebbe calato solo intorno alle nove e mezzo. La luna, ormai all'ultimo quarto, non sarebbe stata troppo luminosa e c'erano buone probabilità che fosse velata, come la sera prima, da nubi di calore.

Ognuno di questi dettagli aveva la sua importanza.

«Sono ancora tutti lì in corridoio?».

«C'è solo il Barone».

Di tanto in tanto i giornalisti si organizzavano in modo da lasciare uno di loro di guardia col compito di avvertire i colleghi in caso di novità.

«Alle sei andrete via tutti come sempre, eccetto Lucas, che è di turno e verrà sostituito da Torrence verso le otto».

Maigret decise di scendere a bere un aperitivo alla brasserie Dauphine insieme a Janvier, Lognon e Mauvoisin.

Alle sette tornò a casa, dove cenò davanti alla finestra aperta su boulevard Richard-Lenoir, mai così calmo come in quel periodo dell'anno.

«Hai sofferto il caldo oggi, vero?» disse la signora Maigret guardando la camicia del marito. «Se esci, sarà meglio che ti cambi».

«Sì, esco».

«Non ha confessato?».

Maigret preferì non rispondere, perché non gli piaceva mentirle.

«Tornerai tardi?».

«È molto probabile».

«Quando il caso sarà chiuso, credi che potremo andare in vacanza?».

Durante l'inverno avevano parlato di andare in Bretagna, a Beuzec-Conq, vicino a Concarneau, ma poi, come succedeva quasi ogni anno, le vacanze venivano rimandate di mese in mese.

«Spero di sì!» sospirò Maigret.

Altrimenti, voleva dire che il suo piano era fallito, che l'assassino era riuscito a passare attraverso le maglie della rete o non aveva reagito come lui e Tissot avevano previsto. E voleva dire anche nuove vittime, l'opinione pubblica e la stampa sempre più nervose, l'ironia o le invettive del giudice Coméliau, se non addirittura, come spesso purtroppo accadeva, un'interpellanza alla Camera e ragguagli da fornire alle alte sfere.

Ma soprattutto voleva dire che delle donne sarebbero morte, delle donne piccole e grassocce, il cui aspetto faceva pensare a quelle brave massaie che di giorno escono a fare la spesa e di sera vanno a trovare qualche vicina nel quartiere.

«Hai l'aria stanca».

Maigret non aveva fretta di uscire, e finita la cena la tirò per le lunghe fumando la pipa e gironzolando per l'appartamento. Indeciso se farsi o no un bicchierino di prunella, ogni tanto si piazzava davanti alla finestra da cui, a un certo punto, si mise a guardar fuori appoggiando i gomiti sul davanzale.

Sua moglie non lo disturbò più. Solo quando si accorse che prendeva la giacca per uscire gli portò una camicia fresca di bucato e lo aiutò a indossarla. Benché lui cercasse di agire nel modo più discreto possibile, lei lo vide aprire un cassetto e prendere la rivoltella facendosela subito scivolare in tasca.

Succedeva molto di rado. Maigret non aveva nessuna voglia di uccidere, nemmeno un individuo pericoloso come quello che stavano cercando. Aveva però ugualmente dato ordine a tutti i suoi collaboratori di portare con sé un'arma e di proteggere le donne *a qualunque costo*.

Maigret non tornò al Quai des Orfèvres e alle nove si fece trovare all'angolo di boulevard Voltaire, dove lo aspettava un'auto che non apparteneva alla polizia. L'uomo al volante, un impiegato del commissariato del XVIII arrondissement, indossava un'uniforme da autista.

«Vado, capo?».

Maigret si accomodò sul sedile posteriore, già avvolto dalla penombra. A colpo d'occhio, l'automobile pareva una di quelle che i turisti noleggiano a giornata dalle parti della Madeleine o dell'Opéra.

«Place Clichy?».

«Sì».

Durante tutto il percorso il commissario non disse una parola, e quando arrivarono in place Clichy si limitò a borbottare:

«Percorri rue Caulaincourt, ma vai piano, come se stessi cercando di leggere i numeri civici».

Le strade attorno ai boulevard erano piuttosto animate e un po' ovunque si vedeva gente affacciata alle finestre che prendeva il fresco. I tavolini dei numerosi bar all'aperto erano occupati da persone vestite in maniera più o meno succinta e quasi tutti i ristoranti servivano i loro clienti ai tavoli sistemati all'esterno.

Sembrava impossibile che in un simile scenario si potesse commettere un omicidio. Eppure il quadro d'insieme era pressappoco lo stesso quando Georgette Lecoin, l'ultima delle vittime, era stata uccisa in rue Tholozé, a meno di cinquanta metri da una balera la cui insegna al neon illuminava a giorno il marciapiede.

Quelli che conoscevano bene il quartiere sapevano che a pochi passi dalle arterie più animate c'erano mille viuzze deserte e angolini nascosti dove era possibile commettere un'aggressione quasi indisturbati.

Due minuti. Avevano calcolato che all'assassino bastavano due minuti, forse anche meno, se era un tipo svelto.

Che cosa lo spingeva a lacerare i vestiti della vittima dopo aver ucciso?

Non la toccava, e nemmeno gli interessava lasciarne scoperte le parti intime, come era accaduto in certi casi divenuti celebri. Strappava il tessuto a coltellate, in preda a una specie di rabbia, come un bambino che si accanisce contro una bambola o calpesta un giocattolo.

Tissot aveva accennato anche a quell'aspetto, ma con una certa reticenza. Si percepiva che le teorie di Freud e dei suoi seguaci lo tentavano, ma allo stesso tempo si sarebbe detto che giudicava quell'approccio troppo semplicistico.

«Bisognerebbe conoscere il suo passato, la sua infanzia, e risalire così al trauma iniziale, che forse lui stesso ha dimenticato...».

Ogni volta che si trovava a pensare all'assassino in quei termini, Maigret veniva colto da un'impazienza febbrile. Aveva fretta di immaginarsi un viso, dei lineamenti precisi, una figura umana reale, e non quella specie di entità vaga che veniva definita ora un omicida, ora uno squilibrato, talvolta un mostro, e che lo stesso Tissot aveva addirittura chiamato, con un classico lapsus, un «paziente».

Sentirsi impotente rendeva Maigret furibondo. Quel caso sembrava quasi lanciargli una sfida personale.

Avrebbe voluto trovarsi faccia a faccia con quell'uomo, guardarlo dritto negli occhi e ordinargli:

«Parla, adesso!».

Aveva bisogno di sapere. L'attesa lo angosciava e gli impediva di concentrarsi a fondo sui dettagli concreti.

Guardando fuori dal finestrino, Maigret individuava ovviamente a colpo d'occhio gli uomini che lui stesso aveva appostato in diversi punti del quartiere. Non li conosceva tutti, è chiaro, perché molti di loro non dipendevano dalla sua sezione, però sapeva che a una determinata sagoma dietro la tenda di una finestra corrispondeva un certo nome, e che la donna che se ne andava tutta trafelata Dio sa dove, camminando un po' a scatti per via dei tacchi troppo alti, era sicuramente una delle ausiliarie.

Da febbraio, cioè dal suo primo omicidio, l'uomo a cui davano la caccia aveva posticipato sempre di più l'ora delle aggressioni: dalle otto di sera era arrivato fino alle nove e quarantacinque. Ma adesso che i giorni iniziavano ad accorciarsi e dunque faceva buio prima, cosa sarebbe accaduto?

Da un momento all'altro poteva arrivare l'urlo di un passante che nel buio era inciampato in un corpo disteso sul marciapiede. Quasi tutte le vittime erano state scoperte in quel modo, e sempre pochi minuti dopo l'omicidio. Solo una volta, secondo il medico legale, era trascorso circa un quarto d'ora.

L'auto in cui si trovava Maigret aveva superato rue Lamarck ed era entrata in un'area del quartiere in cui, fino allora, non era successo niente.

«Che faccio, capo?».

«Continua e poi torna indietro passando per rue des Abbesses».

Se il commissario avesse utilizzato un'auto dotata di ricetrasmittente avrebbe potuto tenersi in contatto con qualcuno dei suoi collaboratori, ma un'auto così avrebbe dato nell'occhio.

Magari, prima di ogni omicidio, l'uomo spiava per ore il viavai delle auto lungo le strade del quartiere.

Certo è che, solitamente, si riesce a individuare la categoria a cui appartiene un assassino. E anche quando non se ne conoscono i connotati si ha almeno un'idea generica del suo aspetto e dell'ambiente in cui si muove.

«Fa' che stasera non ci scappi il morto!».

Senza rendersene conto, Maigret stava pregando, come faceva da bambino prima di addormentarsi.

«Lo ha visto?».

«Che cosa?».

«Quell'ubriaco, vicino al lampione».

«E chi è?».

«Un mio collega, Dutilleux. Adora travestirsi, soprattutto da ubriacone».

Erano le dieci meno un quarto e non era successo niente.

«Fermati davanti alla brasserie Pigalle».

Maigret ordinò una birra al volo prima di chiudersi nella cabina telefonica per chiamare la Polizia giudiziaria. Gli rispose Lucas.

«Niente di nuovo?».

«Ancora niente. Solo una prostituta che ha sporto denuncia contro un marinaio straniero che, a sentir lei, l'ha malmenata».

«Torrence è lì con te?».

«Sì».

«E il Barone?».

«Credo sia andato a dormire».

L'ora in cui era stato commesso l'ultimo omicidio ormai era passata. Questo voleva forse dire che l'uomo si preoccupava dell'ora più che del buio? Oppure che il falso arresto non gli aveva fatto nessun effetto?

Mentre tornava verso l'auto, Maigret fece un sorrisino ironico, e quell'ironia era diretta a se stesso.

Chissà, forse l'uomo che lui stava braccando nelle vie di Montmartre in quel momento se ne stava in vacanza su una spiaggia del Calvados o in una bella pensioncina di campagna...

All'improvviso, nel giro di pochi secondi, fu preso dallo sconforto. Tutti i suoi sforzi e quelli dei suoi collaboratori gli sembrarono inutili, quasi ridicoli.

Su cosa si basava tutta quella messinscena il cui allestimento aveva richiesto così tanto tempo? Su niente. Anzi, su meno di niente. Su una sorta di intuizione che aveva avuto, dopo una buona cena, chiacchierando con il professor Tissot in un confortevole salotto di rue Picpus.

Lo stesso Tissot non si sarebbe forse spaventato venendo a sapere quello che il commissario era stato capace di fare partendo da una conversazione campata per aria?

E se l'uomo non fosse stato affatto spinto dall'orgoglio, né dal bisogno di affermazione?

Anche quelle parole, pronunciate fino ad allora con l'entusiasmo di chi scopre un mondo nuovo, ora quasi lo nauseavano.

Ci aveva pensato troppo. Aveva scandagliato così a fondo l'intera questione che ormai non ci credeva più, arrivando quasi a dubitare dell'esistenza dell'assassino.

«Dove si va, capo?».

«Dove ti pare».

Lo stupore che lesse negli occhi dell'uomo girato verso di lui gli fece prendere coscienza del proprio scoraggiamento, e se ne vergognò. Non aveva il diritto, davanti ai suoi collaboratori, di mostrarsi sfiduciato.

«Percorri tutta rue Lepic, fin su in cima».

Passò davanti al Moulin de la Galette e guardò il punto esatto del marciapiede in cui era stato trovato il corpo della levatrice Joséphine Simmer.

La realtà, alla fine, era quella: cinque omicidi commessi e l'assassino ancora in libertà, forse già pronto a uccidere di nuovo.

Chissà se la donna sulla quarantina, senza cappello, che scendeva a piccoli passi lungo la strada trascinando al guinzaglio un cagnolino, era un'ausiliaria...

In quel preciso istante, in tutte le vie attorno, ce ne erano molte altre che stavano mettendo a repentaglio la propria vita. D'accordo, erano delle volontarie, ma era stato lui ad affidare loro quell'incarico. Dunque spettava a lui proteggerle.

E chissà se erano state prese tutte le precauzioni del caso...

Quel pomeriggio, il piano ideato a tavolino gli era sembrato perfetto. Ogni zona del quartiere considerata pericolosa era stata messa sotto controllo. Le ausiliarie sapevano di dover stare sul chi vive. Uomini del tutto invisibili erano appostati ovunque, pronti a intervenire.

Ma se a causa di una disattenzione qualche angolo era stato lasciato privo di sorveglianza? Se qualcuno, anche solo per un minuto, abbassava il livello di guardia?

Lo scoramento che lo aveva colto prima lasciava ora il posto alla paura. E forse, se fosse stato ancora possibile, il commissario avrebbe ordinato di fermare tutto.

L'esperimento non era durato abbastanza? Erano le dieci di sera e non era successo niente. Non sarebbe più successo niente, e Maigret cominciò a pensare che era meglio così.

In place du Tertre, animata come una sagra di paese, una folla di persone sedeva ai tavolini dei bar all'aperto sorseggiando vino rosé, la musica echeggiava un po' da tutti gli angoli, un uomo mangiava il fuoco mentre un altro, in mezzo a quella baraonda, si ostinava a suonare al violino un motivetto dei primi del secolo. Intanto, a meno di cento metri da lì, nelle stradine deserte l'assassino poteva agire indisturbato.

«Torna indietro».

«Per la stessa strada?».

Avrebbe fatto meglio ad attenersi ai soliti metodi, anche se erano lenti, anche se per sei mesi non avevano dato risultati.

«Vai verso place Constantin-Pecqueur».

«Faccio avenue Junot?».

«Come vuoi».

Sui marciapiedi, delle coppiette camminavano lentamente tenendosi a braccetto. Maigret ne vide una che si baciava a occhi chiusi in un cantuccio, proprio sotto un lampione.

In place Constantin-Pecqueur c'erano due bar ancora aperti e Maigret notò che a casa di Lognon le luci erano spente. L'ispettore conosceva il quartiere meglio di tutti e in quelle ore andava su e giù per le strade senza tregua, come un cane da caccia che fiuta la preda. Per un attimo, il commissario se lo immaginò con la lingua penzoloni e ansimante come uno spaniel.

«Che ore fai?».

«Le dieci e dieci. Le dieci e nove, per l'esattezza».

«Ssst!».

Tendendo l'orecchio, ebbero l'impressione di sentire come dei passi di gente che correva, più su, verso avenue Junot, da cui erano appena arrivati.

Prima dello scalpiccio avevano udito un suono simile a un colpo di fischietto, forse due.

«Da dove arriva questo rumore?».

«Non lo so».

Era difficile rendersi conto del punto esatto da cui provenivano i suoni.

Mentre erano lì fermi, una piccola auto nera in dotazione alla Polizia giudiziaria sfrecciò accanto a loro puntando dritto verso avenue Junot.

«Seguila!».

Altre macchine, fino a qualche minuto prima tranquillamente parcheggiate e all'apparenza vuote, partirono di colpo dirigendosi a tutta birra nella stessa direzione. L'aria fu lacerata da altri due colpi di fischietto che a Maigret parvero più vicini, poiché l'auto su cui viaggiava aveva già percorso cinquecento metri.

Si sentivano voci di uomini e di donne. Qualcuno correva su un marciapiede mentre la sagoma di una persona si precipitava giù dagli scalini di pietra.

Finalmente era successo qualcosa.

4

L'appuntamento dell'ausiliaria

Sul momento, la confusione era tale, in quelle strade male illuminate, che fu impossibile capire cosa stesse succedendo. Solo molto più tardi, grazie ad alcune testimonianze più o meno precise, si riuscì a farsi un'idea dell'accaduto.

L'autista di Maigret procedeva a tutta velocità per le stradine ripide del quartiere che di notte assomigliavano a uno scenario di teatro. Il commissario non sapeva dove si trovava e capì solo che si stavano avvicinando a place du Tertre, perché ebbe l'impressione di sentirne le musiche.

Ad aumentare la confusione vi era il gran viavai che si era creato in entrambe le direzioni. C'erano auto in movimento e persone che correvano – la maggior parte delle quali probabilmente poliziotti – convergendo verso un punto dalle parti di rue Norvins. E poi invece si vedevano altre sagome, biciclette che sfrecciavano coi fanalini spenti e due o tre macchine che si precipitavano nella direzione opposta.

«Per di là!» gridò qualcuno. «L'ho visto passare...».

Inseguivano un uomo e magari era proprio uno di quelli che il commissario aveva intravisto poco prima. Gli sembrò perfino di riconoscere Lognon nella figura di un ometto che correva velocissimo, tanto da aver perso il cappello. Ma non era certo che si trattasse di lui.

L'unica preoccupazione di Maigret in quel momento era sapere se l'assassino aveva di nuovo colpito, se c'era un'altra donna morta. Quando finalmente scorse su un marciapiede un gruppetto di persone raccolte in un punto all'ombra, la prima cosa che fece fu guardare con ansia per terra.

Gli sembrò che le persone non fossero chinate verso il suolo. Le vedeva gesticolare mentre all'angolo di una viuzza un agente in uniforme, sbucato chissà da dove, stava già tentando di fermare i curiosi che affluivano da place du Tertre.

Appena il commissario scese dall'auto, qualcuno spuntò fuori dal buio e gli si avvicinò.

«È lei, capo?».

In quell'atmosfera di sospetto generale, i fasci luminosi di una pila elettrica cercarono il suo viso.

«Non è ferita».

Maigret ci mise un po' a riconoscere nell'uomo che gli stava parlando uno dei poliziotti della sua sezione.

«Cos'è successo?».

«Con esattezza non lo so. È riuscito a scappare. Lo stiamo inseguendo. Mi stupirei davvero se ci sfuggisse, con tutto il quartiere in stato d'assedio».

Finalmente il commissario raggiunse il centro di tutto quello scompiglio: una donna con addosso un vestito di un azzurro piuttosto chiaro che gli ricordava qualcosa. Il suo petto continuava ad alzarsi e abbassarsi con ritmo affannoso, ma il sorriso, il tipico sorrisino tremolante di chi l'ha appena scampata bella, stava pian piano tornando sul suo volto.

Riconobbe subito il commissario.

«Mi dispiace di non essere riuscita a bloccarlo» disse lei. «Non so proprio come abbia fatto a divincolarsi».

A furia di ripeterla, non ricordava più a chi aveva già raccontato la sua avventura.

«Guardi! Mi è rimasto in mano un bottone della sua giacca».

Allungò verso di lui una cosina liscia e scura, con attaccato ancora del filo e quello che doveva essere un po' di tessuto.

«L'ha aggredita?».

«Mentre passavo qua davanti».

Era una specie di corridoio totalmente buio, senza porta, che sbucava sulla strada.

«Camminavo stando sempre all'erta, ma quando ho visto questo vicolo ho avuto come un'intuizione e ho dovuto sforzarmi per proseguire con lo stesso passo».

A quel punto Maigret credette di riconoscerla, o comunque di riconoscere l'azzurro di quel vestito. Non era per caso la stessa ragazza che aveva visto poco prima sotto un lampione, abbracciata a un uomo e con le labbra incollate alle sue?

«Ha lasciato che superassi questo passaggio, e proprio allora ho sentito un movimento e l'aria che si muoveva dietro di me. Una mano ha cercato di afferrarmi alla gola e io, non so come, sono riuscita a difendermi con una mossa di judo».

In place du Tertre doveva essersi sparsa la voce di quanto era appena accaduto e così molti nottambuli avevano abbandonato in fretta e furia i tavoli con le tovaglie a quadretti rossi, i lampioncini alla veneziana e le caraffe di rosé per precipitarsi tutti nella stessa direzione. L'agente in uniforme aveva il suo bel daffare, ma fortunatamente una camionetta della polizia stava salendo da rue Caulaincourt con dei rinforzi per cercare di incanalare tutta quella folla.

Quanti poliziotti c'erano in quel momento a dare la caccia al fuggitivo nelle tortuose stradine di Montmartre piene di angoli bui?

Maigret ebbe l'impressione che, per lo meno da quel punto di vista, la partita fosse persa fin dall'inizio. Ancora una volta l'assassino aveva avuto una pensata geniale: agire a meno di cento metri da una specie di sagra paesana, sapendo benissimo che, una volta dato l'allarme, la folla avrebbe sicuramente creato il caos.

Se ben ricordava – non aveva certo tempo per consultare il suo piano di battaglia –, il responsabile di quel settore era Mauvoisin, e quindi spettava a lui dirigere le operazioni. Lo cercò con lo sguardo ma non lo vide.

Il commissario capì che la sua presenza non era di alcuna utilità e che ormai era solo una questione di fortuna.

«Salga sulla mia auto» disse alla ragazza.

In macchina la riconobbe: era una delle ausiliarie, e a lui proprio non andava giù di averla vista poco prima tra le braccia di un uomo.

«Il suo nome?».

«Marthe Jusserand».

«Ventidue anni?».

«Venticinque».

Aveva suppergiù la stessa struttura corporea delle cinque vittime, ma molto più muscolosa.

«Alla Polizia giudiziaria!» ordinò Maigret all'autista.

In fondo, per lui, era meglio trovarsi nel posto in cui sarebbero confluite inevitabilmente tutte le informazioni, piuttosto che stare in mezzo a quella concitazione quasi caotica.

Poco più in là, intravide l'ispettore Mauvoisin che stava impartendo istruzioni ai suoi collaboratori.

«Io torno al Quai» lo informò al volo. «Tenetemi al corrente».

In quel mentre sopraggiunse un'auto della polizia dotata di ricetrasmittente. Subito dopo, arrivarono a dar manforte altre due vetture che erano di pattuglia nei dintorni.

«Ha avuto paura?» domandò il commissario alla donna che gli sedeva accanto quando l'auto raggiunse delle strade più tranquille.

In place Clichy la folla stava uscendo dal cinema. I caffè e i bar erano illuminati, rassicuranti, con i clienti ancora seduti ai tavolini all'aperto.

«Non tanto sul momento, ma subito dopo sì. Ho perfino temuto che mi cedessero le gambe».

«Lo ha visto?».

«Per un attimo il suo viso è stato vicinissimo al mio, eppure non so se sarei in grado di riconoscerlo. Prima di passare il concorso della polizia ho insegnato educazione fisica per tre anni. Sa, sono molto forte. Poi ho seguito dei corsi di judo, come tutte le altre ausiliarie».

«Si è messa a urlare?».

«Non saprei dirle».

Più tardi si venne a sapere, dall'ispettore appostato alla finestra di un alberghetto poco distante, che aveva chiamato aiuto solo dopo che l'aggressore era scappato.

«Indossa un completo scuro. Ha i capelli color castano chiaro e sembra abbastanza giovane».

«Che età gli darebbe?».

«Non saprei, ero troppo sconvolta. Avevo ben chiaro in testa quello che dovevo fare se fossi stata aggredita, ma quando poi è successo ho dimenticato tutto. Riuscivo solo a pensare al coltello che aveva in mano».

«Lo ha visto?».

La donna rimase alcuni secondi in silenzio.

«Adesso mi chiedo se l'ho davvero visto, quel coltello, o se ho solo immaginato di vederlo perché sapevo che ce l'aveva in mano. Invece sono più che certa che ha gli occhi azzurri o grigi. Per un attimo mi è sembrato sofferente. In realtà, con una mossa di judo ero riuscita a bloccargli l'avambraccio e probabilmente gli stavo facendo un male cane. Ancora qualche secondo e sarebbe stato costretto prima a cedere e poi a finire lungo disteso sul marciapiede».

«È riuscito a liberarsi?».

«A quanto pare. Mi è scivolato tra le mani e continuo a chiedermi come sia successo. Ho sentito che stavo afferrando qualcosa, il bottone della sua giacca per l'appunto, e un attimo dopo mi sono ritrovata solo quello fra le dita mentre vedevo la sua figura allontanarsi correndo. È stato tutto così veloce. Anche se a me, ovviamente, è sembrato lungo».

«Non vuole bere qualcosa per riprendersi un po' dallo spavento?».

«Sono astemia. Però fumerei volentieri una sigaretta».

«Prego, faccia pure».

«Non ne ho. Un mese fa ho deciso di smettere».

Maigret fece fermare l'auto appena incontrarono un tabaccaio.

«Che marca vuole?».

«Delle americane, grazie».

Molto probabilmente era la prima volta in vita sua che il commissario comprava un pacchetto di sigarette americane.

Giunti all'ingresso del Quai des Orfèvres, Maigret lasciò che la donna salisse le scale davanti a lui. Trovò Lucas e Torrence occupati entrambi al telefono, e quando rivolse loro un cenno interrogativo i due ispettori si limitarono a rispondergli, a turno, con una smorfia.

L'uomo non era ancora stato preso.

«Si metta a sedere, signorina».

«Adesso mi sento bene. Peccato solo per la sigaretta: sarà dura nei prossimi giorni non fumare».

Maigret riferì a Lucas, che aveva concluso la sua telefonata, i dati segnaletici che la donna gli aveva appena fornito.

«Trasmettili ovunque, stazioni comprese».

E rivolgendosi alla ragazza:

«L'altezza?».

«Non più alto di me».

Dunque l'uomo era piuttosto piccolo.

«Magro?».

«Di certo non grasso».

«Vent'anni? Trenta? Quaranta?».

Aveva detto giovane, ma quella parola poteva avere significati molto diversi.

«Direi sui trenta».

«Non ricorda altri dettagli?».

«No».

«Portava una cravatta?».

«Suppongo di sì».

«Che aspetto aveva? Di un vagabondo, un operaio, un impiegato?».

La donna stava facendo del suo meglio, ma i suoi ricordi erano frammentari.

«Direi che, in altre circostanze, se lo avessi incontrato per strada non lo avrei notato. Comunque sembrava quel che si dice una persona perbene».

Alzò di colpo la mano, come una scolaretta in classe – e del resto non era molto che aveva smesso di andare a scuola.

«Portava un anello al dito!».

«Un anello o una fede?».

«Un attimo...».

Chiuse gli occhi, come se cercasse di rimettersi nella posizione che aveva assunto durante la colluttazione.

«Prima, l'anello, l'ho sentito sotto le dita, poi, mentre facevo la mossa di judo, la sua mano mi si è parata davanti alla faccia... Se fosse stata una chevalière sarebbe stato più grande... Avrebbe avuto un castone... No, era sicuramente una fede».

«Hai sentito, Lucas?».

«Sì, capo».

«Capelli lunghi, corti?».

«Non corti. Adesso ricordo che gli coprivano l'orecchio: me ne sono accorta quando si è trovato con la testa rovesciata, quasi parallela al marciapiede».

«Hai preso nota di tutto, Lucas?».

«Sì».

«Venga nel mio ufficio, signorina».

Il commissario si tolse automaticamente la giacca, anche se la serata era abbastanza fresca, per lo meno in confronto alla gran calura che c'era stata durante il giorno.

«Si accomodi. È sicura di non voler bere qualcosa?».

«Sicura».

«Prima che l'uomo l'aggredisse non ha incontrato qualcun altro?».

Un improvviso rossore le imporporò le guance e le orecchie. Nonostante i muscoli da sportiva, aveva ancora una pelle estremamente sottile e morbida.

«Sì».

«Mi racconti tutto».

«Tanto ormai quel che è fatto è fatto: sa, sono fidanzata».

«Cosa fa il suo fidanzato?».

«Sta finendo l'ultimo anno di Legge. Ha intenzione di entrare anche lui nella polizia...».

Di sicuro tramite concorso, non come c'era entrato Maigret, dal basso, pattugliando le strade.

«Lo ha visto stasera?».

«Sì».

«Lo aveva messo al corrente del piano?».

«No. Gli ho solo chiesto di passare la serata in place du Tertre».

«Aveva paura?».

«No. Mi faceva piacere saperlo non troppo lontano da me».

«E gli ha dato un altro appuntamento?».

La donna era a disagio, cambiava di continuo l'incrocio delle gambe cercando di capire, con delle rapide occhiate, se Maigret fosse arrabbiato o meno con lei.

«Le dirò tutta la verità, commissario. E pazienza se ho sbagliato. Avevamo avuto istruzioni, se non sbaglio, di agire nel modo più naturale possibile, vale a dire come delle ragazze o delle donne qualsiasi che si trovano a dover uscire la sera. E di sera capita spesso di vedere delle coppiette che si baciano e poi si separano andando uno di qua e uno di là».

«È per questo che ha fatto venire il suo fidanzato?».

«Le giuro che gli ho dato appuntamento per le dieci. Sembrava scontato che sarebbe successo qualcosa prima di quell'ora e dunque non ci vedevo alcun rischio».

Maigret la osservò attentamente.

«Non è che magari ha pensato che l'assassino, vedendola prima sciogliersi dall'abbraccio di un uomo e poi proseguire da sola lungo la strada, sarebbe stato molto più facilmente colto da un raptus?».

«Non so che dire. Immagino sia stato solo un caso. Ho fatto male?».

Maigret preferì non rispondere. Era l'eterno dilemma tra disciplina e spirito d'iniziativa. Del resto, quella sera stessa e nei giorni precedenti non era stato forse lui il primo a fare dei grossi strappi alla disciplina?

«Adesso, con tutta calma, si accomodi alla mia scrivania e metta per iscritto, come fosse a scuola, quello che è accaduto stasera, sforzandosi di ricordare tutti i dettagli, anche quelli che le sembrano privi d'importanza».

Sapeva per esperienza che quel metodo dava spesso dei risultati.

« Posso usare la sua penna? ».

« Faccia pure. Quando ha finito, mi chiami ».

Maigret tornò nell'ufficio dove Lucas e Torrence continuavano a spartirsi le telefonate. In uno sgabuzzino in fondo al corridoio un radiotelegrafista trascriveva su fogli di carta i messaggi radio provenienti dalle auto della polizia e li affidava poi all'usciere.

A Montmartre la polizia era riuscita, poco alla volta, a disperdere il grosso della folla, ma com'era prevedibile i cronisti, avvertiti nel frattempo, erano accorsi sul posto.

Gli agenti avevano cominciato col circondare prima tre caseggiati, poi quattro e infine un intero quartiere, perché con il passare del tempo aumentavano le possibilità che l'uomo si allontanasse.

La polizia passava al setaccio alberghi e meublé e svegliava gli inquilini nelle loro case per richiedere i documenti d'identità e sottoporli a interrogatori sommari.

Era altamente probabile che l'assassino fosse già sgusciato via, e magari fin da subito, cioè da quando si erano sentiti i fischietti della polizia, la gente si era messa a correre e da place du Tertre erano iniziate ad affluire schiere di curiosi.

C'era però un'altra possibilità: che l'assassino abitasse nel quartiere, non lontano dal luogo in cui aveva commesso l'ultima aggressione, e che dunque fosse semplicemente tornato a casa.

Maigret giocherellava con il bottone che gli aveva dato Marthe Jusserand, un banalissimo bottone grigio scuro con delle lievi venature azzurre. Non c'era la marca, ma gli era rimasto attaccato un grosso filo da cucito con ancora dei brandelli della lana di cui era fatto il vestito.

« Telefona a Moers e digli di venire subito ».

«Qui o al laboratorio?».

«Qui».

Sapeva per esperienza che, in certe fasi dell'inchiesta, perdere anche soltanto un'ora poteva voler dire lasciare settimane di vantaggio al criminale.

«C'è Lognon che vuole parlarle, capo».

«Dov'è?».

«In un caffè di Montmartre».

«Pronto! Lognon?».

«Sì, capo. Qui la caccia continua e quasi tutto il quartiere è circondato. Io però sono quasi certo di aver visto l'uomo scendere di corsa la scalinata di place Constantin-Pecqueur, proprio di fronte a casa mia».

«Non ce l'hai fatta a raggiungerlo?».

«No. Ho corso fino allo stremo, ma lui era più veloce di me».

«Non hai sparato?».

Eppure quelli erano gli ordini: sparare a vista, preferibilmente alle gambe, a condizione, beninteso, di non mettere in pericolo i passanti.

«Non ho osato farlo, c'era una vecchia ubriacona che dormiva sugli ultimi scalini e avrei rischiato di colpirla. Dopo, era troppo tardi. È svanito nel buio, come se si fosse aperto un varco in un muro. Ho battuto metro per metro i dintorni e per tutto il tempo ho avuto la sensazione che non fosse lontano, che stesse seguendo con lo sguardo ogni mio movimento».

«È tutto?».

«Sì. Nel frattempo sono arrivati dei colleghi e abbiamo organizzato una battuta».

«E avete scoperto qualcosa?».

«Soltanto che verso quell'ora un uomo è entrato in un bar di rue Caulaincourt dove alcuni clienti stavano giocando a carte. È entrato nella cabina telefonica senza fermarsi al bancone. Probabilmente aveva già i gettoni. Ha fatto una telefonata e com'era entrato è uscito, senza una parola o uno sguardo né al padrone né ai giocatori. Per questo lo hanno notato. Loro erano completamente all'oscuro di quello che stava accadendo nel quartiere».

«C'è dell'altro?».

«È biondo, abbastanza giovane, magro, e non portava il cappello».

«Il vestito?».

«Scuro. Secondo me, ha chiamato qualcuno che è venuto a prenderlo in macchina in un punto ben preciso. E noi non abbiamo pensato di fermare le auto in cui viaggiava più di una persona».

In effetti, negli annali del crimine, quella sarebbe stata la prima volta che un maniaco di quel tipo non agiva da solo.

«Grazie, Lognon».

«Rimango sul posto. Noi continuiamo».

«È l'unica cosa che possiamo fare».

Forse era soltanto una coincidenza. Chiunque poteva essere entrato in un bar per fare una telefonata senza avere né voglia né tempo di consumare qualcosa.

La faccenda lasciava comunque perplesso Maigret, che continuava a pensare alla fede di cui gli aveva parlato la giovane ausiliaria.

Che l'uomo avesse avuto la faccia tosta di ricorrere alla moglie per sfuggire all'accerchiamento della polizia? In tal caso, che spiegazione le aveva dato? Il mattino dopo lei avrebbe pur letto sui giornali il resoconto di quanto era avvenuto a Montmartre.

«Moers arriva o no?».

«Tra un attimo, capo. Era già a letto, stava leggendo. Gli ho detto di prendere un taxi».

Marthe Jusserand consegnò il suo temino, ossia la descrizione degli eventi così come li aveva vissuti.

«Non ho fatto molta attenzione allo stile, com'è ovvio, però ho cercato di metterci tutto e di essere il più obiettiva possibile».

Il commissario diede una scorsa alle due paginette senza trovarci niente di nuovo, e solo quando la ragazza si voltò per prendere la borsetta si accorse che aveva il vestito strappato sulla schiena. Fu quel dettaglio a rendere improvvisamente concreto il pericolo che Maigret le aveva fatto correre, a lei come a tutte le altre ausiliarie.

«Ora vada a dormire. Darò istruzioni perché qualcuno la riaccompagni».

«Non ce n'è bisogno, commissario. Jean sarà sicuramente qui sotto con la sua quattro cavalli».

Il commissario la guardò con aria interrogativa e divertita.

«Non gli avrà mica dato appuntamento al Quai des Orfèvres? Nemmeno lei sapeva che sarebbe venuta qui!».

«No, ma è stato uno dei primi ad accorrere da place du Tertre. L'ho riconosciuto subito in mezzo alla folla di curiosi e ai poliziotti. Mi ha visto anche mentre parlavo con lei, e quando sono salita sulla sua auto deve avere immaginato che mi avreste portata qui in Centrale».

Maigret, esterrefatto, le tese la mano e non poté far altro che mormorare:

«Ebbene, cara la mia ragazza, le auguro buona fortuna con Jean. La ringrazio e le chiedo scusa per le forti emozioni che le ho procurato. Naturalmente la stampa deve rimanere all'oscuro della trappola che abbiamo teso all'assassino. E noi non faremo il suo nome».

«Anch'io preferisco così...».

«Buonanotte...».

La riaccompagnò, da vero gentiluomo, fino alle scale, dopodiché tornò nella stanza degli ispettori, scuotendo la testa.

«Strana ragazza» borbottò.

Torrence, che sulle nuove generazioni aveva una sua opinione, mormorò:

«Oggigiorno sono tutte così».

Moers arrivò pochi minuti dopo, riposato come se avesse avuto alle spalle una notte di sonno. Non era al corrente di niente. I piani per prendere l'assassino non erano stati comunicati al personale dei laboratori.

«C'è del lavoro, capo?».

Maigret gli diede il bottone e Moers storse il naso.

«Tutto qua?».

«Sì».

Moers lo fece rigirare più volte fra le dita.

«Vuole che vada su a esaminarlo?».

«Vengo con te».

Lo faceva quasi per scaramanzia. Nell'ufficio era un continuo susseguirsi di telefonate, e Maigret, sebbene ci contasse poco, ogni volta che il telefono suonava si ritrovava a sussultare suo malgrado, sperando in un miracolo. Chissà, forse se non fosse rimasto lì, alla fine il miracolo sarebbe accaduto per davvero, e qualcuno sarebbe salito in laboratorio per comunicargli che l'assassino era stato preso.

Moers accese le lampade. In un primo momento utilizzò una lente d'ingrandimento, delle pinze e una serie di strumenti molto delicati, poi si mise a esaminare al microscopio il filo e i brandelli di lana.

«Immagino che voglia sapere dove hanno confezionato il vestito da cui è stato strappato questo bottone...».

«Voglio sapere tutto quello che è possibile sapere».

«Innanzitutto, anche se sembra ordinario, il bottone è di ottima qualità. Non è uno di quelli che si usano per i vestiti fatti in serie. Dovrebbe essere piuttosto facile, domani mattina, scoprire dove è stato fabbricato, visto che i bottonifici non sono molti e quasi tutti hanno gli uffici in rue des Petits-Champs, dove stanno anche i grossisti di tessuti».

«E il filo?».

«È quello che usano pressappoco tutti i sarti. Mi

interessa di più il pezzo di stoffa. Come vede, la trama è di un grigio abbastanza comune, ma dentro c'è mescolato un filo di colore azzurro chiaro che lo rende particolare. Giurerei che non è di fabbricazione francese e che si tratta di un tessuto importato dall'Inghilterra. Sa, sono pochi i mediatori che trattano questo tipo di prodotti d'importazione. E comunque posso farle avere la lista».

Moers possedeva liste di ogni genere, elenchi e cataloghi grazie ai quali poteva determinare velocemente la provenienza di un oggetto, che si trattasse di un'arma, un paio di scarpe o un fazzoletto.

«Guardi qua! Come vede, anche una buona metà degli importatori ha gli uffici in rue des Petits-Champs...».

Fortunatamente, le ditte all'ingrosso di Parigi erano più o meno tutte raggruppate per quartiere.

«Gli uffici non aprono prima delle otto, ma per quasi tutti l'apertura è alle nove».

«Dirò di cominciare con quei pochi che alle otto già lavorano».

«È tutto per stanotte?».

«A meno che tu non ritenga che ci sia dell'altro da fare...».

«Ci proverò, tanto per non lasciare niente d'intentato».

Di sicuro bisognava cercare su quel filo, in quei frammenti di lana, tracce di polvere o di qualche sostanza rivelatrice. Tre anni prima non erano forse riusciti a identificare un criminale grazie a dei residui di segatura presenti su un fazzoletto, e un altro grazie a una macchia d'inchiostro tipografico?

Improvvisamente Maigret si sentì stanco. La tensione degli ultimi giorni e delle ultime ore era totalmente scomparsa e ora il commissario si ritrovava privo di energie, di motivazioni, di ottimismo.

L'indomani mattina avrebbe dovuto affrontare il giudice Coméliau e i giornalisti, che lo avrebbero tempestato di domande imbarazzanti. Che cosa avrebbe raccontato? Non poteva confessare la verità. Ma non poteva nemmeno mentire su tutto.

Quando scese di nuovo al piano della Polizia giudiziaria, si rese conto che il fatidico match con i cronisti non avrebbe avuto luogo l'indomani, ma subito. Mancava il Barone, ma c'erano tre dei suoi colleghi, tra cui il giovane Rougin, che aveva gli occhi lucidi dall'eccitazione.

«Non ci riceve nel suo ufficio, commissario?».

Maigret alzò le spalle, li fece entrare e li guardò tutti e tre, con il loro block-notes in mano e la matita pronta.

«L'uomo che avete arrestato è riuscito a scappare?».

Era inevitabile che volessero parlare di lui, di quell'oscuro personaggio la cui esistenza era ormai diventata quantomeno imbarazzante con il precipitare degli eventi.

«Non è scappato nessuno».

«Allora lo avete rilasciato?».

«Non è stato rilasciato nessuno».

«Stanotte però l'assassino ha tentato di colpire di nuovo, no?».

«Una ragazza è stata aggredita per strada, non lontano da place du Tertre, ma se l'è cavata con un gran spavento».

«Non è stata ferita?».

«No».

«L'aggressore aveva in mano un coltello?».

«La ragazza non ne è certa».

«È già andata via?».

Si guardarono intorno con aria diffidente. Probabilmente a Montmartre qualcuno li aveva informati che la ragazza era salita sull'auto del commissario.

«Come si chiama?».

«Il suo nome non ha alcuna importanza».

«Vuole che resti segreto?».

«Diciamo che sarebbe inutile renderlo pubblico».

«Per quale motivo? È sposata? Era in un posto in cui non avrebbe dovuto essere?».

«Può essere una spiegazione».

«Quella giusta?».

«Non glielo so dire».

«Non trova che sia tutto un po' troppo misterioso?».

«L'unico mistero che mi preoccupa davvero è l'identità dell'assassino».

«L'avete scoperta?».

«Non ancora».

«Siete in possesso di elementi nuovi grazie ai quali sperate di riuscire a farlo?».

«Forse».

«E ovviamente non è possibile sapere quali...».

«Ovviamente».

«La ragazza il cui nome deve rimanere segreto ha visto il suo aggressore?».

«Male, ma comunque abbastanza perché io possa darvi i suoi dati segnaletici».

Maigret fornì loro la descrizione dell'uomo, anche se incompleta, ma non si lasciò scappare nemmeno una parola sul bottone strappato dalla giacca.

«È tutto un po' vago, non le pare?».

«Lo era ancora di più ieri, quando non sapevamo assolutamente niente».

Maigret era di cattivo umore, e in fondo non gli piaceva trattarli in quel modo. Quegli uomini stavano soltanto facendo il loro mestiere, proprio come lui. Sapeva benissimo di irritarli con le sue risposte e ancora di più con i suoi silenzi, ma non gli riusciva di mostrarsi cordiale come al solito.

«Signori, sono stanco».

«Rientra a casa?».

«Appena avrete la gentilezza di darmene la possibilità».

«A Montmartre, però, la caccia continua?».

«Sì, continua».

«Rilascerà l'uomo che è stato portato qui l'altro ieri dall'ispettore Lognon e che lei ha interrogato per due volte?».

Bisognava trovare qualcosa da rispondergli.

«Quell'uomo non è mai stato indagato. Non era un sospetto, ma solo un testimone la cui identità non può essere resa nota per precisi motivi».

«Una precauzione».

«Può darsi».

«È ancora sotto custodia della polizia?».

«Sì».

«Dunque non era possibile che fosse a Montmartre stasera?».

«No. Altre domande?».

«Quando siamo arrivati, lei era in laboratorio».

Conoscevano la Centrale quasi quanto lui.

«Ci risulta che lì non si lavora su supposizioni ma su elementi probanti».

Il commissario li guardò senza batter ciglio.

«Dobbiamo concludere che l'uomo di rue Norvins ha lasciato qualcosa dietro di sé, magari tra le mani della sua vittima?».

«Nell'interesse dell'inchiesta, sarebbe auspicabile non trarre conclusioni in base ai miei spostamenti. Signori, sono sfinito e vi chiedo il permesso di ritirarmi. Forse tra ventiquattro o quarantotto ore avrò qualcosa di nuovo da dirvi. Per il momento, non vi resta che accontentarvi dei dati segnaletici che vi ho fornito».

Era l'una e mezzo del mattino. Il telefono suonava sempre di meno nell'ufficio accanto, dove Maigret andò a salutare Lucas e Torrence con una stretta di mano.

«Ancora niente?».

Bastava guardarli in faccia per capire quanto fosse inutile quella domanda. A Montmartre gli agenti avrebbero comunque continuato a stringere d'assedio il quartiere ispezionando ogni minima stradina, finché non fosse giunta l'alba a rischiarare Parigi e i suoi bidoni della spazzatura ai margini dei marciapiedi.

«Buonanotte, ragazzi».

Da basso, Maigret trovò l'auto che aveva tenuto a propria disposizione per ogni evenienza e l'autista che camminava su e giù per il cortile. A quell'ora, per trovare un boccale di birra fresca bisognava andare lontano, a Montparnasse o dalle parti di place Pigalle, e il commissario proprio non ne aveva la forza.

La signora Maigret, in camicia da notte, gli aprì la porta ancor prima che lui facesse in tempo a tirare fuori di tasca la chiave. Col muso lungo e l'aria corrucciata, il commissario andò verso la credenza dove si trovava la caraffa di prunella. Quella notte non aveva voglia di liquore, ma di birra. Vuotando il bicchiere tutto d'un fiato, provò però come una vaga sensazione di vendetta.

5
La bruciatura di sigaretta

Poteva andare avanti così per settimane. Quel mattino al Quai des Orfèvres erano tutti stremati e con un cattivo sapore in bocca. Alcuni, come Maigret, erano riusciti a dormire tre o quattro ore, mentre altri, che abitavano in periferia, non avevano dormito affatto.

A Montmartre c'era ancora qualcuno che perlustrava il quartiere delle Grandes-Carrières, sorvegliava le stazioni del métro, scrutava gli uomini che uscivano dai caseggiati.

«Dormito bene, commissario?».

Nel corridoio, Rougin, fresco come una rosa e più pimpante del solito, apostrofò Maigret con la sua vocina acuta, vagamente metallica. Sembrava particolarmente allegro quella mattina, e il commissario capì il perché solo dopo aver letto il quotidiano per cui lavorava il giovane cronista. Anche lui aveva deciso di rischiare. Fin dal giorno prima, ma anche nel corso della serata e quando al Quai des Orfèvres si erano messi in tre o quattro a tempestare di domande il commissario, Rougin aveva sospettato qualcosa.

Non era da escludere che avesse trascorso il resto della notte a interrogare la gente del quartiere, soprattutto gli albergatori.

Fatto sta che il suo giornale quel mattino riportava a caratteri cubitali:

L'assassino è sfuggito alla trappola tesa dalla polizia.

Era probabile che Rougin, nel corridoio, stesse aspettando di vedere la reazione di Maigret.

«Il nostro caro amico, il commissario Maigret,» aveva scritto «non potrà contraddirci se affermiamo che l'arresto effettuato l'altro ieri, e attorno al quale si è voluto creare un'aria di grande mistero, era solo una messinscena organizzata per attirare l'assassino di Montmartre in una trappola...».

Ma Rougin non si era fermato qui: aveva svegliato nel cuore della notte un celebre psichiatra per fargli delle domande molto simili a quelle che il commissario aveva rivolto al professor Tissot.

«Erano convinti forse che l'assassino sarebbe andato a gironzolare dalle parti della Polizia giudiziaria per cercare di vedere l'uomo accusato al posto suo? È possibile. Tuttavia, è più probabile che, facendo leva sulla sua vanità, lo si volesse spingere a colpire un'altra volta in un quartiere preventivamente assediato dalla polizia...».

Era l'unico giornale che azzardava questa ipotesi. Gli altri brancolavano nel buio.

«Sei ancora qui, tu?» borbottò Maigret scorgendo Lucas. «Non vai a dormire?».

«Ho dormito su una poltrona, poi sono andato a fare un tuffo ai Bains Deligny e mi sono rasato nello spogliatoio».

«Chi c'è di disponibile?».

« Quasi tutti ».

« Niente di nuovo, naturalmente? ».

Lucas si limitò a scrollare le spalle.

« Chiamami Janvier, Lapointe e altri due o tre ».

Benché nel corso dell'intera nottata Maigret aves-se bevuto solo una birra e un bicchierino di prunel-la, si sentiva la bocca impastata. Il cielo si era coper-to, ma non di quelle belle nuvole che portano un po' di frescura. Un velo grigiastro era andato pian piano calando sulla città, una condensa appiccicosa che scendeva lentamente nelle strade, carica di pol-vere e di un odore di benzina che prendeva alla gola.

Maigret aprì la finestra, ma quasi subito la richiu-se: l'aria che proveniva dall'esterno era più irrespi-rabile di quella che c'era nell'ufficio.

« Ragazzi, andate difilato in rue des Petits-Champs. Eccovi qualche indirizzo. Se a questi non trovate niente, ne cercherete altri sull'elenco telefonico. Qualcuno di voi si occuperà del bottone, qualcun altro del tessuto ».

Il commissario spiegò loro quello che aveva sapu-to da Moers riguardo ai grossisti e agli importatori.

« Chissà, questa volta magari saremo fortunati... Tenetemi al corrente ».

Era ancora di cattivo umore, ma non, come pen-savano tutti, perché il suo piano era fallito e l'uomo a cui stavano dando la caccia era riuscito a passare tra le maglie della rete.

Maigret se l'aspettava. E in definitiva l'operazione non era stata un fiasco: le sue previsioni si erano ri-velate corrette e ora la polizia aveva finalmente in mano un indizio, uno spunto, per quanto insignifi-cante potesse sembrare.

I suoi pensieri erano rivolti all'assassino, la cui fisionomia, adesso che almeno una persona lo aveva intravisto, cominciava a delinearsi nella mente del commissario. Se lo immaginava giovane, biondo, quasi certamente con un'aria malinconica o amara.

Chissà perché, Maigret sarebbe stato pronto a scommettere che si trattava di un ragazzo di buona famiglia, abituato a condurre una vita agiata.

L'uomo portava la fede. Dunque aveva una moglie. Aveva avuto un padre e una madre. Era stato a scuola, forse anche all'università.

Quel mattino era solo contro tutta la polizia di Parigi, contro l'intera popolazione parigina, e presumibilmente anche lui aveva letto sul giornale l'articolo del giovane Rougin.

Era riuscito ugualmente a dormire dopo essere sfuggito al trabocchetto in cui aveva rischiato di cadere?

Se era vero che i delitti gli procuravano una sorta di sollievo, se non addirittura una certa euforia, che effetto aveva su di lui un'aggressione fallita?

Senza aspettare di essere chiamato, Maigret andò da Coméliau. Il giudice stava leggendo i giornali.

«L'avevo avvertita, commissario. Sapeva benissimo che non ero affatto entusiasta del suo piano, che per altro non avevo approvato...».

«I miei uomini stanno seguendo una pista».

«Seria?».

«Hanno in mano un indizio concreto. Da qualche parte ci dovrà portare per forza, ma non so se ci vorranno delle settimane o solo due ore».

Ci vollero meno di due ore. Una volta in rue des Petits-Champs, Lapointe si era subito recato in un ufficio le cui pareti erano tappezzate di bottoni di ogni tipo. Sulla porta, sotto il nome dei due soci, si leggeva: «Ditta fondata nel 1782». La collezione esposta comprendeva tutti i modelli di bottoni fabbricati da allora.

Dopo aver esibito il distintivo della Polizia giudiziaria, Lapointe aveva domandato:

«È possibile stabilire la provenienza di questo bottone?».

Per lui, come per Maigret o per chiunque altro,

quello era un bottone qualsiasi, ma l'impiegato che lo esaminò rispose senza esitare:

«Viene dalla Mullerbach di Colmar».

«La Mullerbach ha degli uffici a Parigi?».

«In questo stesso stabile, due piani più su».

Lapointe e il suo collega constatarono in effetti che l'intero immobile era occupato da bottonifici.

Non esisteva più un signor Mullerbach, ma il figlio di un genero dell'ultimo rampollo della famiglia. Costui ricevette i poliziotti nel suo ufficio con estrema cortesia e, dopo aver girato e rigirato più volte il bottone fra le dita, chiese:

«Cosa volete sapere esattamente?».

«Li fabbricate voi questi bottoni?».

«Sì».

«Possiede una lista dei sarti a cui ne ha venduti altri simili?».

L'industriale premette un campanello.

«Come forse saprete,» attaccò a dire «i fabbricanti di tessuti ogni anno cambiano le tonalità e anche la trama di quasi tutti i loro prodotti. Prima di mettere in vendita le novità ci fanno avere dei campioni di tessuto così da permetterci di creare i bottoni adatti. Questi poi vengono venduti direttamente ai sarti...».

Nell'ufficio si presentò un giovanotto stravolto dal caldo.

«Signor Jeanfils, le dispiace cercare il numero di riferimento di questo bottone e portarmi la lista dei sarti a cui li abbiamo venduti?».

Il signor Jeanfils uscì senza far rumore e senza aver aperto bocca. Durante la sua assenza, l'industriale continuò a esporre ai due poliziotti il meccanismo della vendita dei bottoni. Nemmeno dieci minuti dopo si sentì bussare alla porta a vetri dell'ufficio. Era sempre Jeanfils, che entrò e posò sulla scrivania il bottone e un foglio dattiloscritto.

Era una lista che riportava i nomi di una quarantina di sarti: quattro a Lione, due a Bordeaux, uno a Lilla, qualcuno in altre città della Francia e il resto a Parigi.

«Ecco qua, signori. Vi auguro buona fortuna».

Quando i due poliziotti si ritrovarono di nuovo in strada, rimasero per un attimo storditi da quella concitazione rumorosa, così diversa dalla calma serenità da sacrestia che regnava negli uffici della ditta Mullerbach.

«Cosa facciamo?» chiese Broncard, l'ispettore che aveva accompagnato Lapointe. «Cominciamo subito? Li ho contati: a Parigi ce ne sono ventotto. Se prendiamo un taxi...».

«Hai visto dov'è andato Janvier?».

«Sì. In quel grosso caseggiato. O piuttosto negli uffici che stanno in fondo al cortile».

«Tu aspettalo qui».

Lapointe entrò invece in un piccolo bistrot con il pavimento cosparso di segatura, ordinò un bianchino e si chiuse dentro la cabina telefonica. Maigret era sempre nello studio di Coméliau, dunque fu lì che gli passarono la comunicazione.

«In tutto sono quaranta sarti» spiegò Lapointe. «Ventotto a Parigi. Inizio a fare il giro?».

«Tieni solo quattro o cinque nomi. Gli altri comunicali a Lucas, che manderà degli uomini».

Lapointe non aveva ancora finito di dettare i nomi al collega, quando vide Janvier, Broncard e un terzo uomo entrare nel bistrot e mettersi vicino al bancone, come ad aspettarlo. Sembravano tutti e tre contenti. A un certo punto, Janvier socchiuse la porta a vetri della cabina.

«Non riattaccare. Devo parlargli anch'io».

«Non è il capo. È Lucas».

«Passamelo lo stesso».

La notte passata in bianco faceva sì che fossero tutti un po' esaltati, con l'alito pesante e gli occhi pesti e brillanti al tempo stesso.

«Sei tu, vecchio mio? Di' al capo che va tutto bene. Sì, sono Janvier. Abbiamo fatto centro. Per nostra fortuna il tizio indossa abiti di tessuto inglese. Poi ti spiegherò. Adesso so tutto su come funzionano le cose nel settore. In poche parole: finora solo una decina di sarti hanno ordinato il tessuto che interessa a noi, ma quelli che hanno ricevuto le mazzette dei tessuti sono molti di più. Loro al cliente fanno vedere quei campionari e, una volta ricevuto l'ordine, si procurano la metratura. Insomma, ci sono speranze che i tempi siano brevi. Salvo nel caso, improbabile, in cui il vestito sia stato confezionato in Inghilterra».

Appena fuori dal bistrot si separarono, ognuno con due o tre nomi scritti su un pezzetto di carta. Era una specie di lotteria: uno dei quattro, magari quel mattino stesso, avrebbe scoperto il nome che stavano cercando da sei mesi.

Fu Lapointe a portarsi a casa il primo premio. Si era tenuto la zona della Rive gauche, i dintorni di boulevard Saint-Germain, che conosceva bene perché abitava proprio lì.

Un primo sarto, in boulevard Saint-Michel, aveva effettivamente ordinato qualche metratura del famigerato tessuto e poté anche mostrare all'ispettore l'abito che ne aveva ricavato, dal momento che non era stato ancora consegnato. A dire il vero non lo aveva nemmeno finito: gli mancava una manica e il colletto. Aspettava il cliente per la prova.

Il secondo indirizzo era quello di un piccolo sarto polacco che abitava al terzo piano di rue Vanneau e che aveva con sé un solo lavorante. Lapointe lo trovò seduto a gambe incrociate sopra il tavolo da lavoro con un paio di occhiali dalla montatura di acciaio.

«Riconosce questo tessuto?».

Janvier ne aveva richiesti diversi campioni, per distribuirli ai colleghi.

«Certo. Perché? Vuole un vestito?».

«Voglio il nome del cliente a cui ne ha confezionato uno».

«Ne è passato di tempo...».

«Quanto tempo?».

«Era l'autunno scorso».

«Non si ricorda il cliente?».

«Me lo ricordo sì».

«Chi era?».

«Il signor Moncin».

«Chi è il signor Moncin?».

«Un signore tanto ammodo, che si veste da me da parecchi anni».

Lapointe, tutto tremante, quasi non osava crederci: il miracolo stava avvenendo. L'uomo che avevano tanto cercato, su cui erano stati scritti fiumi di parole e che aveva impegnato tutte le forze della polizia per migliaia di ore, improvvisamente aveva un nome. Avrebbe avuto un indirizzo, uno stato civile – e di lì a poco forse avrebbe anche preso forma.

«Abita nel quartiere?».

«Non lontano da qui, in boulevard Saint-Germain, vicino al métro Solférino».

«Lo conosce bene?».

«Come conosco ogni mio cliente. È un uomo beneducato, davvero squisito».

«Ed è molto che non viene da lei?».

«L'ultima volta è stato lo scorso novembre, per un soprabito, poco dopo che gli avevo fatto quel vestito».

«Ha il suo indirizzo esatto?».

Il sarto sfogliò le pagine di un quadernetto su cui, scritti a matita, c'erano dei nomi e degli indirizzi con accanto delle cifre, sicuramente i prezzi degli abiti, che l'uomo sbarrava con una crocetta rossa quando venivano pagati.

«228 bis».

«Sa se è sposato?».

«Sua moglie è venuta con lui diverse volte. Lo accompagna sempre per scegliere».

«È giovane?».

«Sulla trentina, direi. Una donna distinta, una vera signora».

Lapointe non riusciva a fermare il tremore che lo scuoteva dalla testa ai piedi. Era in preda al panico. A un passo dalla meta, temeva che un intoppo qualsiasi potesse improvvisamente far saltare tutto.

«La ringrazio. Forse tornerò a trovarla».

Dimenticandosi di chiedere che mestiere facesse Marcel Moncin, si precipitò giù per le scale e andò di corsa in boulevard Saint-Germain. Lo stabile che portava il numero 228 bis gli parve bellissimo. In verità, era un condominio qualunque, con i balconcini in ferro battuto, identico a tutti gli altri edifici del boulevard. Il portone dava accesso a un corridoio tinteggiato di beige, in fondo al quale si intravedeva la gabbia di un ascensore e, sulla destra, la guardiola della portinaia.

Provava una voglia quasi dolorosa di entrare, di informarsi, di salire nell'appartamento di Moncin e farla finita una volta per tutte con l'assassino, ma sapeva di non avere il diritto di agire da solo.

Proprio davanti all'ingresso del métro c'era di guardia un agente in uniforme. Lapointe lo chiamò e mostrò il distintivo.

«Può sorvegliare quello stabile per qualche minuto, mentre vado a telefonare al Quai des Orfèvres?».

«Cosa devo fare?».

«Niente. O meglio, se dovesse vedere uscire da lì un uomo sulla trentina, magro, biondiccio, faccia in modo di trattenerlo, gli chieda i documenti, si inventi lei qualcosa».

«Chi è?».

«Si chiama Marcel Moncin».

«Cos'ha fatto?».

Lapointe preferì non precisare che, con tutta probabilità, si trattava dell'assassino di Montmartre.

Qualche attimo dopo era di nuovo dentro la cabina telefonica di un caffè.

«Mi passi subito il commissario Maigret. Sono Lapointe».

Era talmente concitato che quasi balbettava.

«È lei, capo? Sono Lapointe. Sì. Ho trovato... Come?... Sì... Ho il suo nome, il suo indirizzo... Sono di fronte a casa sua...».

A un tratto gli venne in mente che con quello stesso tessuto potevano essere stati confezionati chissà quanti altri vestiti, e che magari l'abito di cui gli aveva parlato il sarto non era quello giusto.

«Per caso ha telefonato Janvier? Sì? Che cosa ha detto?».

Di abiti ne erano stati rintracciati tre, ma i connotati dei proprietari non corrispondevano alla descrizione fornita da Marthe Jusserand.

«La chiamo da boulevard Saint-Germain... Ho messo un agente di guardia davanti alla casa... Sì... Sì... La aspetto... Un attimo... Guardo il nome del bistrot...».

Uscì dalla cabina e lesse, alla rovescia, il nome scritto in lettere smaltate sulla vetrina del locale.

«Café Solférino...».

Maigret gli aveva raccomandato di rimanere lì senza farsi notare. Meno di un quarto d'ora dopo, mentre era appoggiato al bancone con davanti un altro bianchino, Lapointe riconobbe delle auto di piccola cilindrata in dotazione alla polizia che si fermavano in diversi punti della strada.

Da una di queste scese Maigret in persona, che in quel frangente parve all'ispettore più massiccio e pesante del solito.

«È stato talmente facile, capo, che non oso crederci...».

Anche Maigret si sentiva nervoso come lui? Se così era, non lo dava a vedere. Anzi, chi lo conosceva bene sapeva che in quelle occasioni il commissario tendeva ad assumere un atteggiamento burbero, quasi tignoso.

«Cosa bevi?».

«Un bianchino».

Maigret fece una smorfia.

«Avete della birra alla spina?».

«Certo, commissario».

«Lei sa chi sono?».

«Ho visto spesso la sua foto sui giornali. E l'anno scorso, quando si occupava delle vicende del ministero qui di fronte, è venuto diverse volte da noi a bere qualcosa».

Il commissario mandò giù la birra tutta d'un fiato.

«Andiamo».

Nel frattempo la polizia aveva fatto scattare un'operazione magari meno imponente di quella della sera prima, ma certo altrettanto efficace. Due ispettori erano saliti fino all'ultimo piano dello stabile. C'erano degli agenti sul marciapiede e altri appostati sia di fronte che all'angolo della strada, senza contare l'auto con la ricetrasmittente che stazionava nelle vicinanze.

Tutto quel dispiegamento di forze probabilmente non sarebbe servito. È raro che un assassino di quel genere cerchi di difendersi – non con le armi, per lo meno.

«Vengo con lei?» chiese Lapointe.

Maigret annuì e i due uomini entrarono nella portineria, una casetta ammodo con una tenda di velluto rosso a separare il salottino dalla cucina. La portinaia, una donna sulla cinquantina, si fece avanti calma e sorridente.

«I signori desiderano?».

«Il signor Moncin, per favore».

«Secondo piano a sinistra».

«Sa se è in casa?».

«Credo di sì. Non l'ho visto uscire».

«C'è anche la signora?».

«È tornata dal mercato circa mezz'ora fa».

Maigret non poteva fare a meno di ripensare alla sua conversazione con il professor Tissot. L'edificio appariva tranquillo, confortevole. L'aspetto un po' antiquato e il caratteristico stile ottocentesco gli conferivano un che di rassicurante. Benché ci fosse un ascensore, perfettamente oliato e con una scintillante maniglia di ottone, loro preferirono salire a piedi le scale ricoperte da un morbido tappeto color cremisi.

Su quasi tutti gli zerbini sistemati davanti alle massicce porte di legno scuro erano stampate in rosso una o più iniziali, e i pulsanti dei campanelli erano tirati a lucido. Di quello che accadeva all'interno degli appartamenti non si sentiva nulla e nessun odore di cucina invadeva la tromba delle scale.

Accanto a una porta del primo piano campeggiava la targa di uno pneumologo.

Al secondo piano, sulla sinistra, una targa d'ottone, grande come l'altra ma con la scritta a caratteri più stilizzati e moderni, recitava:

MARCEL MONCIN
ARCHITETTO D'INTERNI

I due uomini si fermarono un istante, si scambiarono uno sguardo, e Lapointe ebbe la sensazione che Maigret fosse emozionato quanto lui. Fu il commissario ad allungare la mano per premere il pulsante del campanello. Lo squillo, che verosimilmente risuonava in fondo all'appartamento, non si sentì. Trascorse un lasso di tempo che parve a entrambi lunghissimo e alla fine la porta si aprì. Una domestica in grembiule bianco, che non doveva avere nemmeno vent'anni, li guardò con aria stupita e chiese:

«Desiderano?».

«Il signor Moncin è in casa?».

Sembrava imbarazzata e farfugliò:

«Non saprei».

Dunque c'era.

«Se aspettate un momento vado a chiedere alla signora...».

Ma, mentre la ragazza si allontanava, all'altro capo del corridoio comparve una donna ancora giovane con indosso una vestaglia di seta che doveva essersi infilata per sentire meno caldo al ritorno dal mercato.

«Cosa c'è, Odile?».

«Due signori che vogliono parlare con suo marito, signora».

La donna avanzò lungo il corridoio chiudendosi i due lembi della vestaglia sul davanti e guardando Maigret dritto in faccia, come se quel viso le ricordasse qualcuno.

«Di cosa si tratta?» chiese incuriosita.

«Suo marito è in casa?».

«Veramente...».

«Questo significa che c'è».

La donna arrossì leggermente.

«Sì. Ma dorme».

«Devo pregarla di svegliarlo».

Lei esitò un attimo, poi mormorò:

«Con chi ho l'onore di parlare?».

«Polizia giudiziaria».

«Il commissario Maigret, vero? Mi sembrava di averla riconosciuta...».

Maigret, nel frattempo, aveva fatto qualche impercettibile passo in avanti e si trovava ormai nell'ingresso.

«Mi faccia la cortesia di svegliare suo marito. Immagino che sia tornato tardi la notte scorsa...».

«Cosa intende dire?».

«È sua abitudine dormire fin oltre le undici del mattino?».

La donna sorrise.

«Gli succede spesso. Adora lavorare di sera, a volte anche parte della notte. Il suo è un lavoro creativo, da artista».

«La notte scorsa non è uscito?».

«No, che io sappia. Se volete accomodarvi in salotto, vado ad avvertirlo».

Attraverso una porta a vetri li fece entrare in un salotto arredato con mobili moderni – il che era piuttosto sorprendente, in quel vecchio palazzo, ma non aveva nulla di aggressivo. Maigret pensò che in un ambiente come quello avrebbe potuto anche viverci. La sola cosa che non gli piaceva erano i quadri appesi ai muri, che proprio non capiva.

Lapointe, in piedi, sorvegliava la porta d'ingresso. Precauzione inutile, del resto, perché a quel punto tutte le uscite erano ben controllate.

La giovane donna, che si era allontanata tra i fruscii del suo négligé, ritornò, appena un paio di minuti dopo, non senza essersi data un colpo di spazzola.

«Sarà da voi fra un attimo. Marcel ha una strana forma di pudore per cui io certe volte lo prendo in giro: detesta farsi vedere in vestaglia».

«Dormite in camere separate?».

Lei sembrò turbata dalla domanda, ma rispose con semplicità:

«Come molte persone sposate, no?».

In effetti, non era ormai diventata quasi la norma in un certo ambiente? Non significava nulla. A Maigret premeva piuttosto capire se lei stava recitando, se sapeva qualcosa o se invece in quel momento si stava davvero chiedendo che rapporto poteva esserci tra il commissario e suo marito.

«Il signor Moncin lavora qui?».

«Sì».

La donna andò ad aprire una porta che dava accesso a uno studio abbastanza ampio le cui due finestre davano su boulevard Saint-Germain. Maigret vide tavoli da disegno, grossi rotoli di carta e curiosi plastici di compensato o fil di ferro che facevano pensare ad allestimenti teatrali.

«Lavora molto?».

«Troppo per la sua salute, che è sempre stata cagionevole. Adesso dovremmo essere in montagna, come ogni anno, ma mio marito ha appena accettato un lavoro che ci impedirà di andare in vacanza».

A Maigret era capitato raramente di incontrare una donna così calma e padrona di sé. Non avrebbe dovuto spaventarsi nel vedere il commissario lì, in casa sua, quando tutti sapevano che era lui a dirigere l'inchiesta sull'assassino di cui i giornali non facevano che parlare? E invece lei si limitava a osservarlo, come fosse curiosa di guardare da vicino un uomo tanto famoso.

«Vado a controllare a che punto è».

Maigret si sedette in una poltrona, caricò lentamente la pipa, la accese e scambiò un'altra occhiata con Lapointe, il quale non riusciva a stare fermo.

Quando la porta dietro cui si era eclissata la signora Moncin si riaprì, non fu lei a farsi avanti, ma un uomo che sembrava così giovane da far pensare che ci fosse un equivoco.

Moncin indossava un abito da casa di un delicato color beige che metteva in risalto il biondo dei capelli, la finezza dell'incarnato e l'azzurro chiaro degli occhi.

«Scusate, signori, se vi ho fatto aspettare...».

Sulle sue labbra aleggiava un sorriso che aveva un non so che di fragile e infantile.

«Mia moglie mi ha svegliato poco fa dicendomi...».

La signora Moncin non era tornata nella stanza. Possibile che non fosse curiosa di sapere lo scopo di quella visita? O forse stava origliando dietro la porta che suo marito aveva chiuso alle sue spalle?

«In questi ultimi tempi sto lavorando molto per l'arredamento di un'immensa villa che un mio amico si è fatto costruire in Normandia...».

Prese dalla tasca un fazzolettino di batista e si deterse il sudore che gli imperlava la fronte e le labbra.

«Fa ancora più caldo di ieri, vero?».

Guardò fuori e vide il cielo color lavanda.

«Aprire le finestre non serve a niente. Speriamo che arrivi un temporale».

«Mi scuserà,» esordì Maigret «ma devo farle alcune domande indiscrete. Innanzitutto, gradirei vedere il vestito che indossava ieri».

La cosa parve sorprenderlo, ma non spaventarlo. Sgranò un po' gli occhi e strinse le labbra, quasi a voler dire:

«Ma che strana idea!».

Dopodiché si avviò verso la porta:

«Permettete un attimo?».

Si assentò mezzo minuto al massimo e tornò tenendo sul braccio un completo grigio perfettamente stirato. Maigret lo esaminò e trovò, dentro la tasca, l'etichetta con il nome del sarto di rue Vanneau.

«È quello che portava ieri?».

«Certo».

«Ieri sera?».

«Sì. Mi sono cambiato subito dopo cena per indossare questo abito da casa prima di mettermi al lavoro. Io lavoro per lo più la notte».

«Non è uscito dopo le venti?».

«No, sono rimasto nel mio studio fino alle due, due e mezzo del mattino. È per questo che stavo ancora dormendo quando siete arrivati. Ho bisogno di molte ore di sonno, come tutte le persone estremamente nervose».

Era come se cercasse la loro approvazione e in lui

c'era qualcosa che faceva pensare più a uno studente che a un uomo sopra la trentina.

Visto da vicino, però, il suo viso sembrava consunto, e questo strideva con quell'apparente giovinezza. C'era nella sua pelle un che di malaticcio, di appassito, che gli conferiva d'altronde un certo fascino, come accade in alcune donne mature.

«Le posso chiedere di farmi vedere tutto il suo guardaroba?».

Questa volta Moncin si irrigidì e sembrò quasi sul punto di protestare, di rifiutarsi.

«Se le fa piacere. Si accomodi pure...».

Anche ammettendo che stesse origliando dietro la porta, la moglie fece comunque in tempo ad allontanarsi da lì, poiché Maigret e Lapointe la videro parlare con la domestica in fondo al corridoio, in una cucina moderna dai colori chiari.

Moncin aprì un'altra porta, quella di una camera arredata in un color avana chiaro con al centro un divano letto sfatto. Andò poi ad aprire le tende della stanza, ancora immersa nella penombra, e fece scorrere le porte di un armadio a muro che occupava un'intera parete.

Nella parte destra erano appesi sei abiti da uomo, tutti perfettamente stirati, come se non fossero mai stati portati o fossero freschi di tintoria. Vi erano anche tre soprabiti, di cui uno da mezza stagione, uno smoking e un frac.

Nessuno degli abiti era del tessuto di cui Lapointe aveva in tasca il campione.

«Me lo passi, per favore?» disse il commissario rivolgendosi all'ispettore.

Maigret porse il pezzetto di lana al padrone di casa.

«Lo scorso autunno il suo sarto le ha confezionato un vestito di questo tessuto. Ricorda?».

Moncin lo esaminò.

«Sì, me lo ricordo».

«Che fine ha fatto?».

L'altro rifletté un istante, poi disse:

«Ah, sì: qualcuno, sull'autobus, me l'ha bruciato con una sigaretta».

«Lo ha fatto rammendare?».

«No. Detesto qualunque tipo di oggetto rovinato. È una mania, ma l'ho sempre avuta. Già da bambino, se un giocattolo aveva anche solo un graffio lo buttavo via».

«Dunque l'ha buttato? Nel senso che lo ha gettato nella spazzatura?».

«No. L'ho regalato».

«Lo ha fatto lei di persona?».

«Sì. Una sera me lo sono messo sul braccio, sono andato sui lungosenna, dove ogni tanto mi capita di fare quattro passi, e l'ho dato a un barbone».

«Molto tempo fa?».

«Saranno due o tre giorni».

«Sia più preciso».

«L'altro ieri».

Nella parte sinistra dell'armadio c'erano, allineate sugli scaffali, almeno una dozzina di paia di scarpe, mentre al centro una serie di cassetti conteneva camicie, mutande, pigiami e fazzoletti, tutto in ordine perfetto.

«Dove sono le scarpe che portava ieri sera?».

Moncin non parve turbato e non si contraddisse.

«Dal momento che mi trovavo nel mio studio, non portavo le scarpe ma le stesse pantofole che ho ai piedi ora».

«Le spiace chiamare la domestica? Ora possiamo tornare in salotto».

«Odile!» gridò in direzione della cucina. «Venga un attimo».

La ragazza doveva essere appena arrivata in città, perché aveva ancora la carnagione di chi è nato e cresciuto in campagna.

«Il commissario Maigret desidera farle alcune domande. La prego di rispondergli».

«Va bene, signore».

Nemmeno lei sembrava turbata, semmai era emozionata di trovarsi di fronte a un personaggio pubblico di cui parlavano tutti i giornali.

«Lei dorme qui, nell'appartamento?».

«No, signore. Ho una camera al sesto piano, come gli altri domestici del palazzo».

«Ieri sera è salita tardi nella sua stanza?».

«Verso le nove, come quasi ogni giorno, dopo che ho finito di lavare i piatti».

«A quell'ora dov'era il signor Moncin?».

«Nel suo studio».

«Com'era vestito?».

«Come adesso».

«Ne è sicura?».

«Sicurissima».

«Da quanto tempo non vede più il suo vestito grigio a righine azzurre?».

La ragazza ci pensò su.

«Deve sapere che non sono io a occuparmi degli abiti del signore. Lui è un po'... un po' particolare riguardo a questo».

Stava per dire «maniaco».

«Vuol dire che li stira lui stesso?».

«Sì».

«E che lei non ha il permesso di aprire i suoi armadi?».

«Solo per sistemare la biancheria quando torna dalla lavanderia».

«Lei non sa quando ha indossato per l'ultima volta il completo grigio a righine azzurre?».

«Mi sembra due o tre giorni fa».

«Non è che per caso le è capitato, mentre serviva a tavola, di sentir parlare di una bruciatura di sigaretta sulla giacca?».

La ragazza guardò il padrone come per chieder-gli consiglio e balbettò:

«Non saprei... No... Non ascolto i loro discorsi a tavola... Parlano quasi sempre di cose che io non capisco...».

«Può andare, grazie».

Marcel Moncin aspettava calmo e sorridente. Ave-va solo delle goccioline di sudore appena sopra il labbro superiore.

«Le devo chiedere di vestirsi e di seguirmi al Quai des Orfèvres. L'ispettore Lapointe l'accompagnerà in camera sua».

«E anche in bagno?».

«Sì, anche in bagno, sono spiacente. Nel frattem-po, farò due chiacchiere con sua moglie. Mi rincre-sce, signor Moncin, ma non posso agire diversamen-te».

L'architetto abbozzò un gesto vago che sembrava voler dire:

«Se proprio deve».

Fu solo mentre varcava la soglia del salotto che si voltò per chiedere:

«Posso sapere per quale ragione...».

«No, non adesso. Più tardi, nel mio ufficio».

Dalla porta del corridoio, Maigret si rivolse alla moglie di Moncin, che era sempre in cucina:

«Le dispiacerebbe venire, signora?».

6

La spartizione del completo grigioazzurro

«È quello giusto, stavolta?» aveva chiesto in tono beffardo Rougin mentre il commissario e Lapointe attraversavano il corridoio del Quai des Orfèvres insieme a Marcel Moncin.

Maigret si era fermato un istante, aveva girato lentamente la testa e aveva rivolto uno sguardo severo al giovane cronista. Rougin aveva tossicchiato, e persino i fotografi si erano dati una calmata.

«Si sieda, signor Moncin. Se ha troppo caldo, può togliersi la giacca».

«Grazie, ma ho l'abitudine di tenerla».

In effetti, si faceva fatica a immaginarlo in maniche di camicia. Maigret invece la sua se l'era tolta, dopodiché era andato nella stanza degli ispettori a impartire istruzioni. Con il collo incassato nelle spalle e un che di assente negli occhi, sembrava accartocciato su se stesso.

Una volta tornato nel suo ufficio si sedette, sistemò davanti a sé le sue pipe e, dopo aver fatto cenno a Lapointe di rimanere e registrare la conversazione, ne caricò due con cura metodica. Ricordava uno di quei pianisti che, prima di iniziare a suonare, si siedono con fare esitante sul loro sgabello, ne regolano l'altezza e poi iniziano a sfiorare la tastiera come per addomesticarla.

«È sposato da molto, signor Moncin?».

«Dodici anni».

«Posso chiederle quanti anni ha?».

«Trentadue. Mi sono sposato a venti».

Ci fu un lungo silenzio durante il quale il commissario si fissò le proprie mani, che teneva appoggiate sulla scrivania.

«Lei è architetto?».

Moncin lo corresse:

«Architetto d'interni».

«Ciò significa, immagino, che lei è un architetto specializzato nell'arredamento?».

Il commissario aveva notato un lieve rossore sul viso del suo interlocutore.

«Non esattamente».

«Le dispiacerebbe spiegarsi?».

«Diciamo che non posso progettare un palazzo perché non possiedo una laurea in Architettura vera e propria».

«Che titolo di studio ha?».

«Ho cominciato studiando da pittore».

«A che età?».

«Diciassette anni».

«Ha comunque conseguito la maturità?».

«No. Ero ancora giovanissimo e già volevo diventare un artista. I quadri che ha visto in salotto sono miei».

Maigret non era stato in grado di capire, poco prima, cosa rappresentassero quei dipinti, ma se n'era sentito respinto, perché emanavano un che di triste e di malsano. Non c'erano tratti chiari né colori decisi. Il tono dominante era un rosso violaceo a cui si mischiavano certi strani verdi che facevano pensare a certe luci degli abissi marini. Si aveva l'impressione che la pittura si fosse stesa da sola sulla tela, come una macchia d'inchiostro si espande su una carta assorbente.

«In poche parole, lei non è un vero architetto e, se capisco bene, chiunque può fregiarsi del titolo di arredatore».

«Apprezzo il modo cortese con cui mette i puntini sulle i. Vuole forse farmi capire che sono un fallito?».

Aveva sulle labbra un sorriso amaro.

«Ne ha tutto il diritto» proseguì. «Mi è già stato detto».

«Ha una clientela numerosa?».

«No, preferisco avere pochi clienti che hanno fiducia in me e mi lasciano carta bianca piuttosto che averne molti con cui dover scendere a compromessi».

Maigret svuotò la pipa e ne riaccese un'altra. Raramente un interrogatorio era iniziato con toni così smorzati.

«Lei è nato a Parigi?».

«Sì».

«In quale quartiere?».

Moncin ebbe un attimo di esitazione.

«All'angolo tra rue Caulaincourt e rue de Maistre».

Esattamente al centro dell'area in cui erano avvenuti i cinque omicidi e l'aggressione all'ausiliaria.

«Ha vissuto lì per molto tempo?».

«Fino a quando mi sono sposato».

«I suoi genitori sono ancora vivi?».

«Solo mia madre».

«Che abita...?».

«Sempre nello stesso edificio in cui sono nato».

«Ed è in buoni rapporti con lei?».

«Io e mia madre siamo sempre andati d'accordo».

«Che lavoro faceva suo padre, signor Moncin?».

Marcel Moncin ebbe di nuovo un'esitazione, mentre Maigret non ne aveva percepita alcuna alla domanda sulla madre.

«Era macellaio».

«A Montmartre?».

«Allo stesso indirizzo che le ho detto prima».

«È morto?».

«Quando avevo quattordici anni».

«Sua madre ha venduto il negozio?».

«Per un po' di tempo lo ha dato in gestione, poi lo ha venduto ma si è tenuta lo stabile, dove occupa tuttora un appartamento al quarto piano».

Si udì bussare leggermente alla porta. Maigret andò nella stanza degli ispettori e quando tornò era accompagnato da quattro uomini che avevano tutti più o meno l'età, l'altezza e la fisionomia di Moncin.

Si trattava di alcuni impiegati della Questura che Torrence era andato a cercare in fretta e furia.

«Le dispiacerebbe alzarsi, signor Moncin, e accomodarsi accanto a questi signori contro il muro?».

Seguirono alcuni minuti di attesa durante i quali nessuno parlò, dopodiché bussarono di nuovo alla porta.

«Avanti!» fece il commissario.

Sulla soglia apparve Marthe Jusserand. Sorpresa di trovare tanta gente nell'ufficio, guardò prima Maigret, poi gli uomini in fila. Quando il suo sguardo si soffermò su Moncin, la ragazza aggrottò la fronte.

Tutti trattenevano il respiro. La donna era diventata pallida perché, di colpo, aveva capito, ed era consapevole della responsabilità che gravava sulle sue spalle. Ne era talmente consapevole che sembrò sul punto di avere una crisi di pianto.

«Si prenda pure tutto il tempo che vuole» le suggerì il commissario con tono incoraggiante.

«È lui, vero?» mormorò la donna.

«Lei dovrebbe saperlo meglio di chiunque altro, dato che è l'unica ad averlo visto».

«Direi di sì. Ne sono sicura. Eppure...».

«Eppure?».

«Vorrei vederlo di profilo».

«Si metta di profilo, signor Moncin».

L'uomo obbedì senza muovere nemmeno un muscolo della faccia.

«Ne sono quasi certa. Però non era vestito così. E anche lo sguardo non aveva questa espressione...».

«Stasera, signorina Jusserand, vi porteremo entrambi nel posto in cui lei ha visto il suo aggressore. Là ci sarà la stessa illuminazione e cercheremo di avere anche lo stesso abito».

Nel frattempo, in ogni angolo di Parigi frequentato da barboni, sui lungosenna come in place Maubert, un intero plotone di ispettori era alla ricerca frenetica della giacca a cui mancava il bottone.

«Avete ancora bisogno di me?» chiese la ragazza.

«No, la ringrazio. Lei invece, signor Moncin, si sieda di nuovo. Sigaretta?».

«Grazie. Non fumo».

Maigret affidò a Lapointe il compito di sorvegliarlo raccomandando all'ispettore di non interrogarlo, non parlargli e di rispondere in maniera evasiva semmai gli avesse rivolto delle domande.

Nella stanza degli ispettori Maigret trovò Lognon, che era tornato alla Centrale per avere istruzioni.

«Va' nel mio ufficio, per cortesia, e da' un'occhiata al tizio che è insieme a Lapointe».

Il commissario ne approfittò per telefonare al giudice Coméliau e fare un salto dal grande capo per metterlo al corrente delle novità. Lognon tornò con la fronte aggrottata, come uno che sta cercando invano di ricordarsi qualcosa.

«Lo conosci?».

Lognon lavorava da ventidue anni al commissariato delle Grandes-Carrières e abitava a cinquecento metri dalla casa dove era nato Moncin.

«Sono sicuro di averlo già visto. Ma dove? In che occasione?».

«Il padre aveva una macelleria in rue Caulaincourt. Lui è morto, ma la madre vive ancora nello stabile. Vieni con me».

Salirono su un'utilitaria della polizia guidata da un ispettore che li portò fino a Montmartre.

«Sto ancora cercando di ricordare» disse Lognon come parlando tra sé. «Che nervi! Sono sicuro di conoscerlo. Giurerei perfino di aver avuto a che fare con lui in qualche modo...».

«Magari gli hai dato una multa?».

«No, non è questo. Ma mi tornerà in mente».

La macelleria era abbastanza grande, con tre o quattro commessi e una donna grassoccia seduta alla cassa.

«Salgo anch'io?» chiese Lognon.

«Sì».

L'ascensore era stretto. La portinaia, vedendoli entrare, si precipitò verso di loro.

«Chi cercate?».

«La signora Moncin».

«Quarto piano».

«Lo so».

Lo stabile, per quanto pulito e ben tenuto, era di livello leggermente inferiore a quello di boulevard Saint-Germain. La tromba delle scale era più stretta, così come le porte. Sui gradini, lucidati o verniciati, non correva una guida, e accanto agli usci si contavano più biglietti da visita che targhe di ottone.

La donna che aprì loro la porta era molto più giovane di quanto Maigret si aspettasse, magrissima e talmente nervosa da essere piena di tic.

«Che cosa volete?».

«Sono il commissario Maigret, della Polizia giudiziaria».

«È sicuro di voler parlare proprio con me?».

Tanto era biondo suo figlio, tanto lei era bruna, con gli occhietti vivaci e una lieve peluria appena sopra il labbro.

«Accomodatevi. Stavo facendo le pulizie».

L'appartamento, per altro, era assolutamente in ordine, le stanze piccole e i mobili ancora quelli del matrimonio dei proprietari.

«Ieri sera ha visto suo figlio?».

Quella domanda bastò a farla irrigidire.

«Cosa c'entra mio figlio con la polizia?».

«Per favore, risponda alla mia domanda».

«Perché mai avrei dovuto vederlo?».

«Immagino che ogni tanto venga a trovarla».

«Spesso».

«Insieme alla moglie?».

«Non vedo perché la cosa debba interessarle».

La donna non li aveva invitati a sedersi e rimaneva in piedi, come se sperasse che quella conversazione sarebbe durata poco. Appese alle pareti c'erano fotografie di Marcel Moncin a tutte le età, alcune scattate in campagna, e poi oli e disegni infantili che probabilmente aveva fatto lui da bambino.

«Suo figlio è venuto da lei ieri sera?».

«Chi gliel'ha detto?».

«È venuto sì o no?».

«No».

«E nemmeno stanotte?».

«Non ha l'abitudine di venirmi a trovare di notte. Ma, insomma, mi vuol spiegare cosa sono tutte queste domande? La avverto che non dirò altro. Sono in casa mia. Ho tutto il diritto di non rispondere».

«Signora Moncin, sono spiacente di doverla informare che suo figlio è sospettato di aver commesso cinque omicidi nel corso degli ultimi mesi».

La donna gli si parò di fronte, pronta a saltargli addosso.

«Cosa sta dicendo?».

«Abbiamo buone ragioni per credere che sia lui ad aggredire le donne per le vie di Montmartre e che la notte scorsa ci abbia provato un'altra volta».

Lei si mise a tremare e Maigret, senza un motivo preciso, ebbe la sensazione che fingesse. Gli sembrava che quella non fosse la reazione normale di una madre che non si aspetta minimamente una cosa del genere.

«Osate accusare il mio Marcel!... Io vi dico che non è vero, che è innocente, è innocente come...».

Fissò lo sguardo sulle fotografie del figlio bambino e con le dita delle mani contratte proseguì:

«Ma lo guardi! Lo guardi bene e non oserà più pronunciare simili mostruosità...».

«Dunque suo figlio non è venuto qui nelle ultime ventiquattr'ore?».

Lei ripeté con forza:

«No, no e no!».

«Quand'è l'ultima volta che l'ha visto?».

«Non saprei».

«Non si ricorda delle sue visite?».

«No».

«Mi dica, signora Moncin, ha avuto qualche malattia grave da bambino?».

«Niente di più grave del morbillo o di una bronchite. Cosa sta cercando di farmi ammettere? Che è pazzo? Che lo è sempre stato?».

«Quando si è sposato, lei era d'accordo?».

«Sì. Pensi che idiota. Sono stata proprio io a...».

Non finì la frase, anzi sembrò volerla riacchiappare al volo.

«È stata lei a combinare il matrimonio?».

«Ormai è acqua passata».

«E adesso non è più in buoni rapporti con sua nuora?».

«Ma che gliene importa? Si tratta della vita privata di mio figlio, che non riguarda nessuno, né lei né me, lo vuole capire? Se quella donna...».

«Se quella donna...?».

«Niente! Avete arrestato Marcel?».

«È nel mio ufficio, al Quai des Orfèvres».

«In manette?».

«No».

«Lo metterete in prigione?».

«È possibile, direi anzi probabile. La ragazza che ha aggredito la notte scorsa lo ha riconosciuto».

«Quella donna mente. Voglio vedere mio figlio. E voglio vedere anche lei, dirle...».

Era la quarta o la quinta frase che lasciava sospesa in quel modo. I suoi occhi, benché asciutti, luccicavano di esaltazione o di collera.

«Aspettatemi un attimo. Vengo con voi».

Maigret e Lognon si scambiarono uno sguardo. Nessuno glielo aveva proposto. Era stata lei a deciderlo. Adesso, attraverso la porta della stanza che aveva lasciato socchiusa, i due uomini la sentirono cambiarsi d'abito e tirar fuori un cappello da una scatola.

«Se vi disturba che venga con voi, posso prendere il métro».

«La avverto che l'ispettore rimarrà qui a perquisire l'appartamento».

La donna squadrò l'esile Lognon come fosse sul punto di prenderlo per la collottola e buttarlo giù dalle scale.

«Lui?».

«Sì, signora. Se lei desidera che tutto si svolga secondo le regole, sono pronto a firmare un mandato».

Lei non rispose, limitandosi a borbottare parole incomprensibili. Poi si diresse verso la porta ordinando a Maigret:

«Venga!».

E dal pianerottolo, rivolta a Lognon:

«Quanto a lei, ho l'impressione di averla già vista.

Se per disgrazia dovesse rompere qualcosa o mettermi in disordine gli armadi...».

Durante il tragitto in auto la signora Moncin, seduta di fianco a Maigret, si mise a parlare tra sé, sottovoce.

«Eh no, che non finisce qui... Arriverò molto in alto, se sarà necessario... Andrò dal ministro e poi dal presidente della Repubblica, se occorre. E i giornali dovranno pur pubblicare la mia versione dei fatti e...».

Appena mise piede nel corridoio della Polizia giudiziaria e si accorse che i fotografi le puntavano addosso gli apparecchi marciò dritta verso di loro con la chiara intenzione di strapparglieli di mano. Quelli furono costretti a battere in ritirata.

«Si accomodi».

Quando si trovò nell'ufficio di Maigret, dove accanto a un Lapointe mezzo sonnecchiante c'era solo suo figlio, la donna si fermò. Lo guardò sollevata e, senza precipitarsi verso di lui, ma avvolgendolo in uno sguardo protettivo, disse:

«Non aver paura, Marcel. Ci sono qua io».

Moncin si era alzato e aveva lanciato a Maigret un'occhiata carica di rimprovero.

«Che cosa ti hanno fatto? Non ti avranno mica maltrattato?».

«No, mamma».

«Questi sono matti! Te lo dico io che sono matti. Ma mi rivolgerò al miglior avvocato di Parigi. Non importa quanto costerà. Farò fuori tutto quello che ho, se occorre. Venderò la casa. Andrò a chiedere l'elemosina per strada».

«Calmati, mamma».

Lui quasi non osava guardarla in faccia e sembrava scusarsi con i poliziotti dell'atteggiamento della madre.

«Yvonne sa che sei qui?».

La donna si guardò attorno. Com'era possibile

che in un momento simile sua nuora non stesse vicino al marito?

«Lo sa, mamma».

«E che cosa ha detto?».

«Si sieda, signora...».

«Non ho bisogno di sedermi. Ho solo bisogno che mi ridiate mio figlio. Vieni, Marcel. Voglio vedere se osano trattenerti».

«Sono spiacente di comunicarle che è proprio così».

«Dunque lo arrestate?».

«Per il momento deve rimanere a disposizione della Giustizia».

«Che è praticamente la stessa cosa. Ma lei ci ha pensato bene? Si rende conto della responsabilità che si assume? La avverto che non mi farò mettere i piedi in testa e che smuoverò mari e monti...».

«La invito a sedersi e a rispondere a qualche domanda».

«Non risponderò a un bel niente!».

Questa volta puntò dritta sul figlio e lo baciò su entrambe le guance.

«Non aver paura, Marcel, e non lasciarti impressionare. Tua madre è qua. Ci penserò io a te. Mi farò viva presto».

E dopo aver lanciato a Maigret uno sguardo duro andò verso la porta con fare deciso. Lapointe guardò il commissario come se aspettasse istruzioni. Maigret gli fece cenno di lasciarla uscire e quando la donna fu nel corridoio la sentirono che urlava Dio sa che cosa ai giornalisti.

«Sua madre le vuole molto bene, a quanto pare».

«Ormai ha soltanto me».

«Era molto legata a suo padre?».

Moncin aprì la bocca come per rispondere, poi preferì non dire nulla e il commissario credette di capire.

«Che tipo di uomo era suo padre?».

L'altro continuò a tacere.

«Sua madre non era felice insieme a lui?».

Allora, con un sordo rancore nella voce, Moncin proferì:

«Era un macellaio».

«Si vergognava di lui?».

«La prego, commissario, non mi faccia domande come queste. So perfettamente dove vuole arrivare e le posso dire che è completamente fuori strada. Ha visto in che stato ha ridotto mia madre?».

«È stata lei a ridursi così».

«Suppongo che in boulevard Saint-Germain, o da qualche altra parte, i suoi uomini stiano sottoponendo mia moglie allo stesso trattamento».

Questa volta fu Maigret a non rispondere.

«Lei non ha niente da raccontarvi. Lo stesso vale per mia madre. E per me. Interrogatemi pure finché vi pare, ma loro lasciatele in pace».

«Si sieda».

«Di nuovo? Ne avremo ancora per molto?».

«Probabilmente sì».

«Immagino che non mi darete né da bere né da mangiare».

«Che cosa vuole?».

«Un bicchiere d'acqua».

«Non preferirebbe una birra?».

«Non bevo né birra, né vino, né liquori».

«E non fuma» disse Maigret come parlando tra sé, poi fece cenno a Lapointe di seguirlo sul vano della porta.

«Comincia a interrogarlo, rimanendo sul vago, senza approfondire l'argomento. Parlagli ancora dell'abito, chiedigli che cosa ha fatto il 2 febbraio, il 3 marzo e in tutte le altre date in cui sono stati commessi gli omicidi di Montmartre. Cerca di sapere se c'erano giorni fissi in cui andava a trovare la madre e se accadeva di mattina o di sera. E perché le due donne sono in rotta...».

Maigret intanto andò a mangiare da solo, a un tavolino della brasserie Dauphine, dove ordinò uno spezzatino di vitello che aveva un buon profumo di cucina casereccia.

Telefonò a sua moglie per comunicarle che non sarebbe tornato a casa, e fu quasi tentato di chiamare il professor Tissot. Gli sarebbe piaciuto incontrarlo e chiacchierare di nuovo con lui. Ma anche Tissot era un uomo molto occupato. Per di più, non è che Maigret avesse delle domande precise da fargli.

Era stanco e malinconico, pur senza avere un vero motivo per esserlo. Si sentiva vicinissimo alla meta. Gli eventi si erano susseguiti a una velocità del tutto insperata. La reazione di Marthe Jusseraud non sarebbe potuta essere più chiara, e solo perché aveva avuto qualche scrupolo la ragazza non si era mostrata più categorica. La storia dell'abito regalato al barbone non stava in piedi. E comunque non ci sarebbe voluto molto ad appurare la verità, visto che a Parigi i barboni non sono poi tanti e la polizia li conosce più o meno tutti.

«Ha ancora bisogno di me, capo?».

Era Mazet, colui che aveva recitato la parte del presunto colpevole e adesso non aveva più niente da fare.

«Sono passato al Quai. Mi hanno lasciato dare un'occhiata a quel tizio. Crede che sia lui?».

Maigret alzò le spalle. Quello che gli interessava, innanzitutto, era capire. È facile capire un uomo che ruba, che uccide per non essere preso, per gelosia, oppure in un momento di collera, o per assicurarsi un'eredità.

Quei crimini, i crimini per così dire comuni, a volte erano delle vere grane, ma non lo turbavano affatto.

«Che imbecilli!» era solito borbottare.

Maigret sosteneva infatti, come altri suoi illustri

predecessori, che se i criminali fossero intelligenti non avrebbero bisogno di uccidere.

Ciò non toglie che lui fosse comunque capace di mettersi nei loro panni, ricostruire il loro modo di ragionare e il concatenarsi delle loro emozioni.

Davanti a Marcel Moncin, invece, si sentiva come un novellino, tanto è vero che non aveva ancora osato interrogarlo come si deve.

Questa volta non si trattava di un individuo qualunque che ha infranto le leggi della società mettendosi così, più o meno consapevolmente, ai suoi margini.

Lui era un uomo diverso dagli altri, uno che uccideva senza una ragione che risultasse in qualche modo comprensibile, in maniera quasi infantile, con quel suo strappare subito dopo i vestiti delle sue vittime, come per divertirsi.

Moncin era, in un certo qual senso, intelligente. Aveva trascorso gli anni della gioventù senza particolari problemi. Si era sposato e sembrava andare d'accordo con la moglie. D'accordo, sua madre era un tantino eccessiva, ma ciò nonostante tra loro due c'erano delle affinità.

Si rendeva conto che ormai era spacciato? Se n'era reso conto quel mattino, quando sua moglie era andata a svegliarlo annunciandogli che c'era la polizia ad attenderlo in salotto?

Quali sono le reazioni di un uomo come quello? Soffriva? Tra una crisi e l'altra provava vergogna o ribrezzo per se stesso e i suoi istinti? O sentiva invece una certa soddisfazione nel percepirsi diverso dagli altri – differenza, questa, che nella sua mente era magari un segno di superiorità?

« Un caffè, Maigret? ».

« Sì ».

« Qualcosa di forte? ».

No! Se beveva, c'era il rischio che si addormentasse. E si sentiva già abbastanza affaticato, come accadeva quasi sempre a un certo punto dell'inchiesta, quando tentava di immedesimarsi nel personaggio con cui aveva a che fare.

«Allora, sembra che lo abbiate preso!».

Maigret guardò il proprietario della brasserie sgranando gli occhi.

«È sui giornali del mattino. E pare che questa volta sia quello giusto. Vi ha fatto sudare sette camicie! E c'era chi diceva che non lo avreste mai trovato, come Jack lo Squartatore».

Il commissario bevve il suo caffè, si accese una pipa e uscì all'aperto, nell'aria calda, immobile, come imprigionata tra il selciato e il cielo basso tendente al grigio ardesia.

Seduto su una sedia nella stanza degli ispettori c'era una specie di mendicante. Teneva il berretto tra le mani e indossava una giacca che faceva a pugni con il resto del vestiario.

La famosa giacca di Marcel Moncin.

«Quello dove l'avete pescato?» chiese Maigret ai suoi uomini.

«Sul lungosenna, vicino al pont d'Austerlitz».

Invece di fare le domande al barbone, preferiva interrogare loro.

«Che cosa vi ha detto?».

«Che ha trovato la giacca sull'argine del fiume».

«Quando?».

«Stamattina alle sei».

«E i pantaloni?».

«C'erano anche quelli. Siccome erano in due, si sono divisi il vestito. Non abbiamo ancora scovato l'uomo che ha i pantaloni, ma non ci vorrà molto».

Maigret si avvicinò al poveraccio, si chinò su di lui e vide che sul collo della giacca c'era, in effetti, un buco di sigaretta.

«Toglila».

Sotto la giacca l'uomo non portava una camicia ma una maglietta tutta strappata.

«Sei sicuro che era stamattina?».

«Vi dirà la stessa cosa anche il mio amico, il Grand Paul. Questi signori lo conoscono».

Lo conosceva anche Maigret, che passò la giacca a Torrence.

«Portala da Moers. Non ne sono sicuro, ma credo che ci sia un modo per sapere se la bruciatura di un tessuto è vecchia o recente. Digli che in questo caso si tratta al massimo di quarant'otto ore. Hai capito?».

«Sì, capo».

«Se il collo è stato bruciato la notte scorsa o stamattina...».

Indicò il proprio ufficio.

«A che punto sono lì dentro?».

«Lapointe ha fatto portare birre e panini».

«Per tutti e due?».

«I panini sì. Moncin ha voluto dell'acqua minerale».

Maigret aprì la porta e vide Lapointe, seduto al suo posto, che prendeva appunti chino su dei fogli di carta mentre cercava un'altra domanda da fare a Moncin.

«Era meglio se non aprivi la finestra. Entra solo aria calda».

Il commissario andò a chiuderla, e Moncin lo seguì con lo sguardo. Aveva un'aria di rimprovero, come un animale che viene seviziato da un gruppo di bambini senza potersi difendere.

«Fa' vedere».

Diede una scorsa agli appunti. Domande e risposte che non gli dicevano niente di nuovo.

«Ci sono novità?».

«Ha telefonato l'avvocato Rivière per annunciare che assume la difesa. Voleva venire subito, ma l'ho pregato di rivolgersi prima al giudice istruttore».

«Hai fatto bene. Altro?».

«Ha telefonato Janvier da boulevard Saint-Germain. Nello studio di Moncin ci sono diversi tipi di raschietti che potrebbero essere stati usati nei vari omicidi. In camera da letto ha trovato anche un coltello a serramanico di un modello comune, con una lama lunga non più di otto centimetri».

Il medico legale che aveva praticato le autopsie, il dottor Paul, si era dilungato sull'arma utilizzata, un dettaglio che lo aveva incuriosito. Di solito gli omicidi di questo genere vengono commessi con coltelli da macellaio o coltelli da cucina abbastanza grandi, o anche con pugnali o stiletti.

«Considerando la forma e la profondità delle ferite, sarei tentato di affermare che è stato usato un normalissimo coltellino tascabile» aveva detto. «È chiaro però che un normale coltellino si sarebbe piegato, dunque deve trattarsi per forza di uno a serramanico. Secondo me, non è un'arma pericolosa in sé. Ciò che la rende mortale è l'abilità con cui la si maneggia».

«Abbiamo ritrovato la sua giacca, signor Moncin».

«Sui lungosenna?».

«Sì».

L'uomo aprì la bocca, ma cambiò idea. Cosa stava per chiedere?

«Ha mangiato bene?».

Sul vassoio davanti a lui era rimasto metà di un panino al prosciutto. La bottiglia di acqua minerale era vuota.

«Stanco?».

Moncin rispose con un mezzo sorriso rassegnato. In lui tutto era come a mezzetinte. Abiti inclusi. Aveva ancora un qualcosa di adolescenziale, fra il timido e il gentile, che era difficile da definire. C'entravano forse i capelli biondi, la carnagione, gli occhi azzurri oppure la salute cagionevole?

Il commissario sapeva bene che, magari già dal giorno seguente, quell'uomo sarebbe finito nelle mani di medici e psichiatri. Ma ora bisognava prendersi tutto il tempo necessario. Dopo, sarebbe stato troppo tardi.

«Ti sostituisco» disse Maigret a Lapointe.

«Posso andare?».

«Aspetta qui fuori. E avvertimi se Moers scopre qualcosa di nuovo».

Chiuse la porta, si tolse la giacca, si sprofondò nella poltrona e appoggiò i gomiti sulla scrivania. Per quasi cinque minuti fissò lo sguardo su Marcel Moncin, che nel frattempo aveva voltato la testa e si era messo a guardare la finestra.

«Lei è molto infelice, vero?» mormorò alla fine il commissario, quasi suo malgrado.

L'uomo trasalì e, evitando di guardare Maigret, esitò un attimo prima di rispondere:

«E perché mai dovrei essere infelice?».

«Quando si è accorto di non essere come gli altri?».

Ci fu come un fremito sul viso dell'arredatore, il quale riuscì comunque a ribattere con un sogghigno:

«Trova che io non sia come gli altri?».

«Quando era ancora ragazzo, lei...».

«Io che cosa?».

«Lo sapeva già?».

In quel momento Maigret ebbe la netta sensazione che se fosse riuscito a trovare le parole giuste, la barriera che c'era tra lui e l'uomo che se ne stava seduto tutto rigido dall'altra parte della scrivania si sarebbe dissolta. Non se l'era inventato quel fremito. Nel giro di qualche secondo si era prodotta un'incrinatura, e probabilmente ci era mancato poco che gli occhi di Moncin si inumidissero.

«Lei lo sa, vero, che non rischia né la ghigliottina né la prigione?».

Stava sbagliando tattica? Non era quella la frase giusta?

Il suo interlocutore, in apparenza assolutamente calmo e padrone di sé, sembrò irrigidirsi ancora di più.

«Non rischio niente, poiché sono innocente».

«Innocente di cosa?».

«Di quello che lei mi attribuisce. Non ho altro da aggiungere. Da questo momento non le risponderò più».

Non erano parole dette tanto per dire. Si capiva che l'uomo aveva preso una decisione e che sarebbe stato irremovibile.

«Come preferisce» sospirò il commissario mentre premeva un campanello.

7

Che Dio ce la mandi buona!

Maigret commise un errore. In seguito gli capitò più di una volta di chiedersi se un altro, al posto suo, avrebbe saputo evitarlo. Ma, com'è ovvio, non riuscì mai a darsi una risposta soddisfacente.

Erano circa le tre e mezzo quando salì nel laboratorio.

«Ha avuto il mio messaggio?» gli chiese Moers.

«No».

«Gliel'ho appena mandato, avrà di sicuro incrociato l'impiegato che doveva recapitarglielo. La bruciatura sulla giacca risale a non più di dodici ore fa. Se vuole che le spieghi...».

«No. Sei sicuro di quello che dici?».

«Ne sono certo. Vedrò comunque di sottoporre il tessuto ad altri test. Immagino di poter fare delle altre bruciature, ad esempio sulla schiena, no? Saranno bruciature campione che serviranno se il caso dovesse arrivare fino in Corte d'assise».

Maigret annuì e si avviò giù per le scale. In quel momento Marcel Moncin doveva già trovarsi negli uffici del Casellario, dove veniva fatto spogliare per un primo esame medico e per le misurazioni di routine, poi, una volta rivestito – ma senza cravatta –, veniva fotografato di fronte e di profilo.

I giornali pubblicavano già alcune foto di Moncin scattate al momento del suo arrivo al Quai des Orfèvres, mentre a Montmartre gli ispettori, anche loro muniti di una sua fotografia, battevano ancora una volta il quartiere delle Grandes-Carrières rivolgendo sempre le stesse domande agli impiegati del métro, ai negozianti, a tutti quelli che potevano aver notato l'arredatore la sera prima e nei giorni delle precedenti aggressioni.

Nel cortile della Polizia giudiziaria il commissario salì su un'auto e si fece portare in boulevard Saint-Germain. Quando suonò il campanello gli aprì la stessa domestica del mattino.

«Il suo collega è in salotto» annunciò al commissario.

Si riferiva a Janvier, il quale, solo nella stanza, stava mettendo in ordine gli appunti presi durante la perquisizione.

I due uomini erano entrambi stanchissimi.

«Dov'è la moglie?».

«Una mezz'ora fa mi ha chiesto il permesso di andare a stendersi un po'».

«E prima come si è comportata?».

«Non l'ho vista molto. Ogni tanto veniva a dare un'occhiata nella stanza dove ero io per sapere cosa stavo facendo».

«Non l'hai interrogata?».

«Lei non mi aveva detto di farlo».

«Immagino che tu non abbia trovato niente di interessante».

«Ho chiacchierato con la domestica. Lavora qui solo da sei mesi. La coppia riceveva di rado e usciva ancora meno. Pare che i Moncin non abbiano amici intimi. Ogni tanto vanno a passare il week-end dai suoceri, che a quanto pare hanno una villa a Triel, dove vivono tutto l'anno».

«Che tipo di gente è?».

«Il padre aveva una farmacia in place Clichy ed è andato in pensione qualche anno fa».

Lapointe mostrò a Maigret una foto di gruppo scattata in un giardino. Si riconoscevano Moncin in abito chiaro, sua moglie con un vestitino leggero, un uomo con il pizzetto brizzolato e una donna un po' grassoccia che sorrideva beata, con la mano appoggiata sulla capote di un'auto.

«Guardi quest'altra. La donna giovane con i due bambini è la sorella della signora Moncin, sposata con un garagista di Levallois. Hanno anche un fratello che vive in Africa».

L'ispettore aveva trovato una scatola piena di fotografie, soprattutto della moglie di Moncin, tra cui una della sua Prima comunione e l'immancabile foto dei due sposi nel giorno delle nozze.

«Ci sono alcune lettere di lavoro, poca roba. Moncin deve avere al massimo una dozzina di clienti. E poi delle fatture. Da quel che ho potuto vedere, pagano i fornitori solo dopo ripetuti solleciti».

Sulla porta apparve la signora Moncin, forse avvertita dalla domestica o forse perché aveva sentito entrare il commissario. Rispetto al mattino, il suo viso era più tirato e si vedeva che si era appena data una spazzolata ai capelli e incipriata il viso.

«Non l'ha riportato a casa?» chiese.

«No, finché non ci darà una spiegazione soddisfacente riguardo a certe coincidenze».

«Lei crede davvero che sia stato lui?».

Maigret non rispose e la donna, invece di protestare violentemente, si limitò a scrollare le spalle.

«Un giorno si accorgerà di essersi sbagliato e si rammaricherà del male che gli sta facendo».

«Lo ama?».

La domanda, appena l'ebbe formulata, gli sembrò stupida.

«È mio marito» rispose la donna.

Questo significava che lo amava o che, essendo sua moglie, era suo dovere restargli comunque al fianco?

«Lo avete messo in prigione?».

«Non ancora. È al Quai des Orfèvres. Verrà interrogato di nuovo».

«Che cosa le ha detto?».

«Si rifiuta di rispondere. Non c'è proprio niente, signora Moncin, di cui vorrebbe parlarmi?».

«Niente».

«Si rende conto, vero, che nel caso suo marito fosse colpevole, come ho ragione di credere, non lo aspettano né la ghigliottina né i lavori forzati? L'ho ripetuto anche a lui giusto poco fa. Sono praticamente certo che i medici lo dichiareranno incapace di intendere e di volere. L'uomo che per cinque volte ha ucciso delle donne per strada, lacerandone poi i vestiti, è un malato. Quando non è in preda a una delle sue crisi, può ingannare chiunque. E sicuramente riesce a farlo, visto che nessuno finora ha notato delle stranezze nei suoi comportamenti. Ma mi ascolta?».

«L'ascolto».

Forse lo stava ascoltando, in effetti, ma si sarebbe detto che quella conversazione non la riguardasse e che non si stesse parlando di suo marito. A un certo punto si era perfino messa a seguire con lo sguardo il volo di una mosca che continuava a girare attorno al tulle della tenda.

«Sino ad ora sono morte cinque donne, e finché l'assassino, o il maniaco, o lo squilibrato, comunque lo si voglia chiamare, sarà in libertà, altre vite saranno in pericolo. Se ne rende conto? E si rende conto che, fino a oggi, si è limitato ad aggredire delle donne che passavano per la strada, ma che la sua strategia potrebbe cambiare e magari domani potrebbe accanirsi contro le persone che gli vivono accanto? Lei non ha paura?».

«No».

«Non ha l'impressione di aver corso per mesi, forse per anni, un pericolo mortale?».

«No».

Era scoraggiante. Il suo non era nemmeno un atteggiamento di sfida. La signora Moncin era calma, quasi serena.

«Ha visto mia suocera? Che cosa le ha detto?».

«Ha protestato. Le posso chiedere il motivo per cui siete in rotta?».

«Preferisco non parlare di queste cose. E poi non ha importanza».

Cos'altro poteva fare Maigret?

«Janvier, vieni pure».

«Dunque non rimanderete a casa mio marito?».

«No».

Li accompagnò alla porta, che richiuse alle loro spalle. Quel pomeriggio non accadde praticamente nient'altro. Maigret cenò con Lapointe e Janvier, mentre Lucas rimase faccia a faccia con Moncin nell'ufficio del commissario.

Più tardi, dovettero giocare d'astuzia per far uscire il sospettato dai locali della Polizia giudiziaria, dato che i giornalisti e i fotografi si erano piazzati sia nei corridoi che nelle anticamere.

Verso le otto sul selciato erano cadute grosse gocce di pioggia, e tutti avevano sperato in un temporale. Ma, se temporale c'era, doveva essere scoppiato altrove, verso est, dove il cielo era ancora di un nero velenoso.

Non aspettarono l'ora esatta in cui la sera prima era avvenuta l'aggressione, dal momento che già alle nove le strade erano abbastanza buie e l'illuminazione assolutamente identica.

Maigret uscì da solo, e discese lo scalone principale chiacchierando con i giornalisti. Lucas e Janvier finsero di accompagnare Moncin in guardina, questa volta con le manette ai polsi, ma anziché scendere al piano dove si trovavano le camere di sicurezza, lo portarono in cortile e lo fecero salire su un'auto.

Si ritrovarono tutti all'angolo di rue Norvins, dove ad aspettarli c'era già Marthe Jusserand in compagnia del fidanzato.

Bastarono pochi minuti: Moncin fu condotto nel punto esatto in cui la ragazza era stata aggredita e gli venne fatta indossare la sua giacca bruciacchiata.

«Non c'erano altre luci?».

L'ausiliaria si guardò attorno e scosse la testa.

«No. Era proprio così».

«Adesso cerchi di guardarlo dalla stessa angolazione di ieri».

La ragazza si piegò in vari modi, facendo spostare l'uomo in due o tre posti diversi.

«Lo riconosce?».

Emozionatissima, respirando a fatica, Marthe lanciò una rapida occhiata al fidanzato, che si teneva discretamente in disparte, poi mormorò:

«È mio dovere dire la verità, no?».

«È suo dovere farlo».

Con un'altra occhiata sembrò volersi scusare con Moncin, il quale aspettava, come indifferente.

«Sono certa che è lui».

«Lo riconosce formalmente?».

Fece segno di sì con la testa e subito dopo, lei che era stata fino a quel momento così coraggiosa, scoppiò in lacrime.

«Per questa sera è tutto. La ringrazio» le disse Maigret spingendola verso il fidanzato. «Ha sentito, signor Moncin?».

«Ho sentito».

«Non ha niente da dire?».

«Niente».

«Voialtri, riportatelo in Centrale».

«Buonanotte, capo».

«Buonanotte, ragazzi».

Maigret salì su un'auto della polizia e ordinò:

«Mi porti a casa, in boulevard Richard-Lenoir».

Questa volta, però, si fermò a bere una birra dalle parti di square d'Anvers. Il suo compito era praticamente terminato. Di sicuro l'indomani mattina il giudice Coméliau avrebbe voluto interrogare Moncin e poi lo avrebbe affidato agli esperti per la perizia psichiatrica.

Agli uomini della Polizia giudiziaria non restava altro che svolgere il solito lavoro di routine, cercare i testimoni, interrogarli e preparare un dossier il più completo possibile.

Che poi Maigret si sentisse scontento era un'altra questione. Professionalmente parlando, aveva fatto tutto quello che doveva. Il problema era che ancora non aveva capito. Fra lui e l'arredatore non era «scattata la scintilla». Mai, nemmeno per un attimo, Maigret aveva avuto la sensazione di essere riuscito a stabilire con Moncin un contatto umano.

Anche l'atteggiamento della signora Moncin non lo convinceva. Ma con lei avrebbe fatto ancora un tentativo.

«Sembri esausto» osservò la signora Maigret. «Allora, è davvero tutto finito?».

«E chi l'ha detto?».

«I giornali, e pure la radio».

Il commissario alzò le spalle. Dopo tanti anni, sua moglie credeva ancora a quello che scrivevano i giornali!

«In un certo senso, sì, è finito».

Entrò in camera da letto e iniziò a spogliarsi.

«Spero che domani tu possa dormire un po'!».

Lo sperava anche lui. Più che stanchezza, provava una sorta di disgusto, che lui stesso non riusciva a spiegarsi.

«Sicuro che va tutto bene?».

«Sì. Non preoccuparti. Lo sai che mi capita spesso in casi come questo».

Una volta venuta meno l'eccitazione dell'indagine e delle ricerche, il commissario si ritrovava all'improvviso come svuotato.

«Non devi farci caso. Dammi un bicchierino, così dormirò come un sasso per dieci ore».

Non vide che ore erano quando si addormentò, ma certo si rigirò un bel pezzo tra le lenzuola già madide di sudore mentre da qualche parte, nel quartiere, un cane non la smetteva di abbaiare.

Quando squillò il telefono, aveva ormai completamente perso la nozione del tempo e non sapeva più né chi era né dov'era. Lo lasciò suonare a lungo, poi tese la mano talmente a casaccio che rovesciò il bicchiere d'acqua sul comodino.

«Pronto...».

Aveva la voce rauca.

«È lei, commissario?».

«Chi parla?».

«Sono Lognon... Mi scusi se la disturbo...».

Nella voce dell'ispettore Lagnoso c'era una vena di tristezza.

«Non importa. Ti ascolto. Dove sei?».

«In rue de Maistre...».

Lognon abbassò il tono della voce e proseguì dicendo, quasi a malincuore:

«C'è appena stato un altro omicidio... Una donna... Uccisa a coltellate... Aveva il vestito lacerato».

La signora Maigret, che aveva acceso la luce mentre il marito era ancora disteso, lo vide mettersi di colpo a sedere sul letto e stropicciarsi gli occhi.

«Ne sei sicuro?... Pronto! Lognon?».

«Sì, sono ancora qui».

«Quando? E innanzitutto, che ore sono?».

«Mezzanotte e dieci».

«E quando è successo?».

«Circa tre quarti d'ora fa. Ho cercato di raggiungerla in ufficio. Ero da solo al commissariato».

«Arrivo...».

«Un'altra donna?» gli chiese sua moglie.

Maigret annuì.

«Ma l'assassino non era stato fermato?».

«Moncin è sotto chiave. Intanto che mi vesto, chiamami la Polizia giudiziaria».

«Pronto... La Polizia giudiziaria?... Le passo il commissario Maigret...».

«Pronto! Chi parla?» bofonchiò Maigret. «Sei tu, Mauvoisin? Lognon ti ha già messo al corrente? Immagino che il nostro uomo non si sia mosso. Cosa?... Hai appena controllato?... Me ne occupo io... Mandami subito una macchina, per favore... Sì, a casa mia...».

La signora Maigret capì che in quel momento la cosa migliore da fare era tacere. Andò ad aprire la credenza, versò un bicchierino di prunella e lo diede al marito, che lo mandò giù quasi senza rendersene conto. Poi lo accompagnò fin sul pianerottolo e sentì il rumore dei suoi passi allontanarsi giù per le scale.

Durante tutto il tragitto il commissario rimase con le mascelle contratte e lo sguardo fisso davanti a sé. Arrivato in rue de Maistre, in un punto poco illuminato della via dove sostavano una ventina di persone, scese dall'auto sbattendo dietro di sé la portiera.

Lognon gli andò incontro con la faccia di chi ha appena avuto un lutto in famiglia.

«Ero di turno quando mi hanno avvisato per telefono. Mi sono precipitato subito qua».

Accostata al marciapiede c'era un'ambulanza, e le uniformi degli infermieri in attesa di istruzioni formavano delle macchie chiare nell'oscurità. Alcuni curiosi, impressionati, guardavano in silenzio.

Una figura femminile era stesa sul marciapiede, quasi contro il muro, e un rigagnolo di sangue scuro, ormai già coagulato, le serpeggiava accanto.

«Morta?».

Maigret vide qualcuno avvicinarsi e capì solo dopo che si trattava del medico del quartiere.

«Ho contato almeno sei coltellate» disse. «Ma ho potuto effettuare solo un esame superficiale».

«Tutte nella schiena?».

«No. Almeno quattro erano al petto. Un'altra, alla gola, si direbbe sia stata sferrata per ultima, probabilmente quando la vittima era già a terra».

«Il colpo di grazia!» disse Maigret con un sogghigno.

Intendeva forse che anche per lui quell'omicidio era un colpo di grazia?

«Ci sono pure delle ferite meno profonde sugli avambracci e sulle mani».

Nell'udire quelle parole il commissario aggrottò la fronte.

«Si sa chi è?» chiese indicando la morta.

«Nella borsetta ho trovato la carta d'identità. Una certa Jeanine Laurent, domestica tuttofare che prestava servizio dai coniugi Durandeau, in rue de Clignancourt».

«Età?».

«Diciannove anni».

Maigret preferì non guardarla. La ragazza quella sera aveva indossato di sicuro il vestito più bello che aveva, di tulle celeste, quasi un abito da ballo. Probabilmente era andata davvero a ballare. Portava delle scarpe con il tacco altissimo e una di queste le si era sfilata.

«Chi è stato a dare l'allarme?».

«Io, signor commissario».

Era un agente in bicicletta, il quale aveva atteso pazientemente il suo turno per parlare.

«Stavo facendo la ronda con il mio collega qui presente, quando sul marciapiede di sinistra ho reperito...».

L'agente non aveva visto nulla. Quando si era chinato sul corpo, questo era ancora caldo e il sangue continuava a colare fuori dalle ferite, così per un attimo aveva creduto che la ragazza non fosse morta.

«Fatela trasportare all'Istituto di medicina legale e avvertite il dottor Paul».

Poi, rivolto a Lognon:

«Hai già dato istruzioni?».

«Ho sguinzagliato per il quartiere tutti gli uomini che sono riuscito a trovare».

A cosa serviva? Non era forse già stato fatto, senza risultati? In quel momento, un'auto arrivò a gran velocità, si fermò di colpo con uno stridore di freni e ne schizzò fuori il giovane Rougin con i capelli tutti arruffati.

«Allora, caro commissario?».

«Chi l'ha avvertita?».

Maigret era scorbutico, aggressivo.

«Gente che abita da queste parti... Sa, esistono ancora persone che credono nell'utilità della stampa... Dunque, neanche questa volta è quello giusto?».

Senza più badare al commissario, il giornalista si precipitò verso il marciapiede seguito dal fotografo e, mentre questi si metteva all'opera, iniziò a fare domande ai curiosi che gironzolavano lì attorno.

«Occupati tu del resto» borbottò Maigret rivolgendosi di nuovo a Lognon.

«Vuole che qualcuno di noi l'accompagni?».

Maigret fece segno di no e s'incamminò verso l'auto a capo chino, come se stesse rimuginando pensieri indigesti.

«Dove andiamo, capo?» chiese l'autista.

Il commissario lo guardò senza sapere cosa rispondere.

«Mah, scendi verso place Clichy o place Blanche».

Non aveva niente da fare al Quai des Orfèvres. Cos'altro si poteva tentare oltre a quello che era già stato fatto?

Allo stesso tempo, non se la sentiva nemmeno di ficcarsi a letto.

«Aspettami qua».

Avevano raggiunto le luci di place Blanche, dove alcuni bar coi tavolini all'aperto erano ancora illuminati.

«Cosa le porto?».

«Faccia lei».

«Una birra? Un cognacchino?».

«Una birra».

A un tavolo lì accanto, una donna biondo platino con un vestito aderente che le lasciava fuori mezzo seno cercava di convincere a bassavoce l'uomo che era con lei a portarla nel locale lì di fronte, di cui si vedeva l'insegna al neon.

«Ti assicuro che non te ne pentirai. È vero che è caro, ma...».

Chissà se però l'altro capiva. Era un americano, o forse un inglese, che scuoteva la testa ripetendo:

«*Noou!... Noou!*».

«Non sai dire nient'altro?... *Noou!... Noou!...* E se anche io dicessi "*Noou*" e ti piantassi?...».

Lui le sorrideva placido. Lei, spazientita, chiamò il cameriere per ordinare ancora qualcosa da bere.

«Mi porti anche un panino. Visto che non vuole andare a cena qui di fronte...».

Più in là, un gruppo di persone parlava degli sketch di uno spettacolo di varietà che aveva appena visto in un cabaret poco distante. Un arabo vendeva noccioline. Una vecchia fioraia riconobbe Maigret e preferì girare al largo.

Il commissario fumò almeno tre pipe, immobile, guardando i taxi che gli sfilavano davanti e la gente che passava e ascoltando stralci di conversazioni, come se avesse bisogno di reimmergersi nella vita di tutti i giorni.

Una donna sulla quarantina, grassa ma ancora appetitosa, era seduta da sola davanti a un tavolinetto rotondo su cui era appoggiato un bicchiere di acqua e menta e rivolgeva al commissario dei sorrisi invitanti senza immaginare minimamente chi fosse.

Maigret fece un cenno al cameriere.

«Un'altra!» ordinò.

Doveva avere il tempo di ritrovare la calma. Prima, in rue de Maistre, aveva avuto l'impulso di precipitarsi al piano di sotto, entrare nella cella di Marcel Moncin e scuoterlo fino a quando non avesse iniziato a parlare.

«Confessa che sei stato tu, farabutto!...».

Ne aveva una certezza quasi dolorosa. Era impossibile che si fosse sbagliato su tutti i fronti. E adesso quello che provava per lo pseudoarchitetto non era più pietà e nemmeno curiosità. Era collera, quasi rabbia.

Tuttavia, nella relativa frescura della notte, a contatto dello spettacolo che gli offriva la strada, quel sentimento iniziava piano piano a evaporare.

Aveva commesso un errore, lo sapeva. E ora sapeva anche quale.

Adesso era troppo tardi per rimediare. Una ragazzina era morta, una delle mille ragazze di campagna che ogni anno arrivano a Parigi in cerca di fortuna e che quella sera, dopo una giornata passata a lavorare in cucina, era andata a ballare.

Era troppo tardi anche per verificare un'idea che gli era venuta in mente. A quell'ora, tanto, non avrebbe trovato nulla. E riguardo all'eventuale esistenza di indizi e alla possibilità di raccogliere delle testimonianze, si poteva benissimo aspettare fino al mattino seguente.

Quella storia durava ormai da troppo tempo, e i suoi uomini erano sfiancati quanto lui. L'indomani mattina, leggendo i giornali sul métro o sull'autobus che li portava al Quai des Orfèvres, avrebbero sicuramente provato lo stesso stupore, lo stesso sconforto da cui era stato colto poco prima il commissario. E magari qualcuno di loro avrebbe dubitato di lui.

Lognon, quando gli aveva telefonato, era imbarazzato, e in rue de Maistre sembrava quasi che gli stesse facendo le condoglianze.

Maigret cercava di immaginare la reazione del giudice Coméliau, la telefonata perentoria che avrebbe ricevuto non appena questi avesse aperto il giornale.

Si diresse con passo pesante verso l'interno della brasserie e chiese un gettone del telefono. Voleva telefonare a sua moglie.

«Sei tu?» esclamò lei, sorpresa.

«Volevo solo avvisarti che stanotte non torno».

Non che avesse una ragione precisa, per altro. Non aveva niente da fare nell'immediato se non starsene a cuocere nel suo brodo, ma sentiva il bisogno di ritrovarsi nell'atmosfera familiare del Quai des Orfèvres, del suo ufficio, con i suoi uomini.

Non aveva voglia di dormire. Avrebbe avuto tutto il tempo per dormire una volta chiusa definitivamente quella faccenda. E allora si sarebbe perfino deciso a chiedere le ferie.

Succedeva sempre così. Lui si riproponeva di andare in vacanza e poi, arrivato il momento, trovava sempre delle scuse per restare a Parigi.

«Cameriere, cosa le devo?».

Pagò e si avviò verso l'auto che lo aspettava.

«Al Quai!» ordinò all'autista.

Lì trovò Mauvoisin insieme ad altri due o tre colleghi, uno dei quali stava mangiando una salsiccia e bevendo del vino rosso.

«State comodi, ragazzi. Ci sono novità?».

«No, niente. Stanno continuando a interrogare i passanti. Hanno arrestato due stranieri che non avevano i documenti in regola».

«Chiama Janvier e Lapointe al telefono e di' a tutti e due di farsi trovare qui domattina alle cinque e mezzo».

Solo nel suo ufficio, Maigret lesse e rilesse per quasi un'ora i verbali degli interrogatori, in particolare quello della madre di Moncin e quello della moglie.

Dopodiché, seduto di fronte alla finestra con la camicia aperta sul petto, si lasciò sprofondare nella sua poltrona. Forse, senza rendersene conto, si assopì. Sta di fatto che quando Mauvoisin, a un certo punto, entrò nell'ufficio, per ritirarsi subito dopo in punta di piedi, lui nemmeno se ne accorse.

Il buio cominciò a sbiadire, il cielo divenne grigio, poi azzurro, e alla fine spuntò il sole. Mauvoisin entrò di nuovo, e questa volta aveva in mano una tazza di caffè appena fatto sul fornellino a gas. Janvier era già lì e Lapointe non avrebbe tardato ad arrivare.

«Che ore sono?».

«Le cinque e venticinque».

«Sono qui?».

«Janvier sì. Lapointe invece...».

«Eccomi, capo» fece quest'ultimo.

I due uomini erano entrambi ben rasati, mentre quelli che avevano fatto la notte avevano le guance ispide e il colorito grigiastro.

«Entrate».

Commetteva un altro errore a non telefonare al giudice Coméliau? Se così era, anche questa volta se ne assumeva la responsabilità.

«Tu, Janvier, va' in rue Caulaincourt. Prendi con te un collega, uno qualunque, quello più riposato».

«A casa della vecchia?».

«Sì. Me la porti qui. Lei protesterà e probabilmente si rifiuterà di seguirti».

«C'è da giurarci».

Maigret gli diede un foglio che aveva appena firmato con una foga tale da rischiare di spezzare la penna.

«Le consegnerai questo mandato di comparizione. Tu invece, Lapointe, va' a prendere la signora Moncin, in boulevard Saint-Germain».

«Dà un mandato anche a me?».

«Sì, ma con lei non credo sia indispensabile. Le metterete tutt'e due in un ufficio e dopo che le avrete chiuse lì dentro per benino mi verrete a chiamare».

«Nel corridoio ci sono il Barone e Rougin».

«Ma pensa!».

«Non fa niente se le vedono?».

«No».

Quando i due si spostarono nella stanza degli ispettori, le cui lampade erano ancora accese, Maigret aprì la porta dell'armadietto dove teneva sempre l'occorrente per radersi. Mentre si faceva la barba si tagliò leggermente sopra il labbro.

«C'è ancora un po' di caffè, Mauvoisin?» gridò.

«Tra un attimo, capo. Ne sto preparando adesso un altro».

Fuori, i primi rimorchiatori iniziavano lentamente a muoversi e andavano a recuperare lungo le banchine le chiatte che, una in fila all'altra, avrebbero trasportato a monte o a valle della Senna. C'erano già degli autobus che attraversavano il pont Saint-Michel semideserto e, proprio accanto al ponte, un pescatore se ne stava con le gambe penzoloni sull'acqua scura.

Maigret cominciò a camminare in lungo e in largo, evitando il corridoio e i cronisti. Gli ispettori evitavano di fargli domande, e finanche di guardarlo in faccia.

«Lognon non ha telefonato?».

«Sì, verso le quattro, per comunicare che non c'era niente di nuovo, tranne che la ragazza era effettivamente andata a ballare in un locale vicino a place du Tertre, come faceva una volta alla settimana. Non aveva un fidanzato fisso».

«È uscita sola dal locale?».

«Così dicono i camerieri, ma non ne sono certi. La loro impressione è che fosse una brava ragazza».

Si sentì un rumore nel corridoio, una voce stridula di donna in cui non si riuscivano a distinguere le parole.

Dopo pochi istanti, Janvier entrò nell'ufficio con la faccia di uno che ha dovuto sobbarcarsi un lavoro ingrato.

«È qui. Ma è stata una faticaccia!».

«Stava dormendo?».

«Sì. All'inizio non voleva nemmeno aprire la porta. Io l'ho minacciata di andare a chiamare un fabbro per forzare la serratura. Alla fine si è messa una vestaglia e mi ha aperto».

«L'hai aspettata mentre si vestiva?».

«Sul pianerottolo. Anche allora si è rifiutata di lasciarmi entrare nell'appartamento».

«Adesso è da sola?».

«Sì. Ecco la chiave».

«Vai ad aspettare Lapointe in corridoio».

Passarono altri minuti, poi Janvier e Lapointe si recarono insieme da Maigret.

«Ci sono tutt'e due?».

«Sì».

«Si sono accapigliate?».

«No, si sono scambiate giusto un'occhiata e hanno finto di non conoscersi».

In tono esitante Janvier arrischiò una domanda:

«Che facciamo, adesso?».

«Per il momento, niente. Va' nell'ufficio accanto al mio e mettiti vicino alla porta comunicante. Se si decidono a parlare, cerca di ascoltare bene quello che dicono».

«Altrimenti?».

Maigret abbozzò un gesto vago. Qualcosa come:

«Che Dio ce la mandi buona!».

8

Il malumore di Moncin

Alle nove le due donne chiuse nel piccolo ufficio non si erano ancora scambiate una sola parola. Poiché nella stanza non esistevano poltrone, se ne stavano impettite sulle loro sedie, immobili come nella sala d'aspetto di un dottore o di un dentista, senza avere però nemmeno la possibilità di sfogliare una rivista.

«Una delle due si è alzata per aprire la finestra» disse Janvier a Maigret che gli chiedeva notizie. «Poi si è seduta ancora al suo posto e da quel momento non si è sentito più niente».

Maigret realizzò di colpo che almeno una di loro non era al corrente dell'omicidio avvenuto quella notte.

«Fa' portare nella stanza un paio di quotidiani. Di' che li appoggino sulla scrivania, come fosse normale routine, ma in modo che da dove sono sedute possano leggere i titoli in prima pagina».

Coméliau aveva già telefonato due volte, prima da casa sua, dopo che aveva letto i giornali facendo colazione, poi dal Palazzo di giustizia.

«Digli che mi hanno visto in giro e che mi stanno cercando».

Una questione importante era nel frattempo già stata risolta grazie al lavoro di alcuni ispettori che il commissario aveva spedito in missione nelle primissime ore del mattino. Riguardo alla madre di Moncin, la risposta era semplice: in quanto proprietaria dello stabile di rue Caulaincourt, aveva la chiave del portone, e poteva entrare e uscire dall'edificio a qualunque ora della notte senza disturbare la portinaia. La quale, per altro, di sera spegneva tutte le luci della portineria e se ne andava a letto verso le dieci, massimo le dieci e mezzo.

I Moncin non disponevano invece delle chiavi dello stabile di boulevard Saint-Germain. E la portinaia andava a letto più tardi, intorno alle undici. Era forse questo il motivo per cui le aggressioni, eccetto quella della notte precedente, erano avvenute tutte abbastanza presto? Finché era ancora sveglia e il portone rimaneva aperto, la portinaia non faceva molto caso agli inquilini che rincasavano dopo il cinema, il teatro o una serata tra amici.

Al mattino apriva il portone verso le cinque e mezzo per mettere i cassonetti dell'immondizia sul marciapiede, dopodiché rientrava a lavarsi e vestirsi. A volte le capitava di tornare a letto per un'oretta.

Il che significava che, dopo il mancato omicidio, Marcel Moncin sarebbe potuto uscire dall'edificio senza essere visto per sbarazzarsi del completo lasciandolo sui lungosenna.

Quanto alla moglie di Moncin, era o no possibile che la sera prima fosse uscita di buonora e rincasata abbastanza tardi, magari anche dopo la mezzanotte, senza che la portinaia si ricordasse di averle aperto il portone?

L'ispettore che era appena tornato dal sopralluogo in boulevard Saint-Germain riteneva di sì.

«Naturalmente la portinaia sostiene di no» spiegò

a Maigret. «Gli inquilini però non la pensano così. Da quando è rimasta vedova, di sera ha preso l'abitudine di farsi qualche bicchierino di non so più che liquore dei Pirenei. A quanto pare, capita che si debba suonare due o tre volte prima che lei apra, mezzo addormentata e probabilmente senza nemmeno capire bene il nome che le viene detto».

Al commissariato arrivavano a mano a mano altre informazioni, un po' alla rinfusa, alcune anche per telefono. Si venne a sapere, ad esempio, che Moncin e sua moglie si conoscevano sin dall'infanzia e che erano stati a scuola insieme. Che un'estate, quando Marcel aveva nove anni, la moglie del farmacista di place Clichy lo aveva portato in vacanza insieme ai suoi figli in una villa che avevano affittato a Étretat. E pure che dopo il matrimonio gli sposini avevano vissuto per parecchi mesi in un appartamento che la madre di Moncin aveva messo a loro disposizione nello stabile di rue Caulaincourt, allo stesso piano in cui viveva lei.

Alle nove e mezzo Maigret si decise:

«Andate a prendere Moncin. A meno che non sia già nello studio di Coméliau, ovviamente».

Dalla sua postazione di ascolto Janvier aveva sentito una delle due donne alzarsi e il fruscio di una pagina di giornale. Non sapeva però di quale si trattasse, dal momento che né l'una né l'altra avevano aperto bocca.

Il tempo era tornato bello, il sole splendeva di nuovo ma c'era meno afa che nei giorni precedenti, poiché una lieve brezza faceva fremere le foglie degli alberi e, a tratti, anche i documenti posati sulla scrivania del commissario.

Moncin entrò senza dire nulla, guardò il commissario limitandosi a salutarlo con un impercettibile cenno del capo e aspettò che qualcuno lo invitasse a sedersi. Non aveva avuto la possibilità di radersi e quella leggera barbetta incolta rendeva i lineamenti del suo viso meno netti, più incerti, tanto da sembrare quasi flaccidi, probabilmente anche per la stanchezza.

«È stato messo al corrente di quello che è successo ieri sera?».

Con un tono quasi di rimprovero, l'arredatore replicò:

«Nessuno mi ha detto niente».

«Legga qua».

Gli porse il giornale che forniva il resoconto più dettagliato dei fatti di rue de Maistre. Mentre l'uomo leggeva, il commissario non gli tolse un attimo lo sguardo di dosso e fu certo di non sbagliarsi: *la sua prima reazione fu di contrarietà*. Moncin, infatti, aveva aggrottato la fronte, tra il sorpreso e lo scontento.

> *Nonostante l'arresto dell'arredatore,*
> *un'altra vittima a Montmartre.*

Per un attimo Moncin pensò a un tranello, addirittura a un giornale finto, preparato apposta per indurlo a parlare. Lesse con attenzione, controllò la data riportata in cima al foglio e si convinse della veridicità dei fatti.

Chissà se in quel momento non provò una sorta di collera trattenuta, come se gli stessero rovinando qualcosa...

Certo è che si mise a riflettere, cercò di capire e alla fine sembrò aver trovato la soluzione del problema.

«Come vede,» disse Maigret «c'è qualcuno che fa di tutto per tirarla fuori dai guai. E poco importa se questo costa la vita a una povera ragazza appena sbarcata a Parigi!».

Sulle labbra di Moncin aleggiò un sorriso furtivo, o almeno così parve a Maigret: per quanto si sforzasse di reprimerlo, era il segno di una soddisfazione infantile subito tenuta a freno.

«Le due donne sono qui...» continuò Maigret a fior di labbra, evitando a bella posta di guardarlo.

Era una strana lotta, come non si ricordava di averne mai affrontate. Entrambi si muovevano su un terreno infido e ogni minima sfumatura – uno sguardo, un fremito delle labbra, un battito di palpebre – aveva la sua importanza.

Per quanto stanco fosse Moncin, il commissario lo era di sicuro molto più di lui, e oltretutto era disgustato. Ancora una volta era stato tentato di passare il caso, così com'era, al giudice istruttore e di lasciare che se la sbrigasse lui.

«Tra poco le porteremo qui, così vedrete di spiegarvi tra voi».

L'uomo lanciò al commissario un rapido sguardo di rimprovero. Che cosa provava in quel momento? Rabbia? Era possibile. Le sue pupille azzurre erano diventate più fisse e le mascelle gli si erano contratte. Ma forse anche paura, visto che, esattamente come il giorno prima, delle minuscole goccioline di sudore gli imperlavano la fronte e il labbro superiore.

«È sempre deciso a non parlare?».

«Non ho nulla da dire».

«Non trova che sarebbe ora di finirla? Non le pare, signor Moncin, che ormai ci sia *un omicidio* di troppo? Se avesse parlato ieri, non sarebbe stato commesso».

«Io non c'entro niente».

«Lei lo sa, vero, quale delle due ha stupidamente deciso di salvarla?».

Moncin smise di sorridere, si irrigidì di nuovo e assunse un'espressione di malumore, come se ce l'avesse con colei che era giunta a tanto.

«Ora le dirò quello che penso di lei, signor Moncin. Io penso che sia malato, perché voglio sperare che un uomo sano di mente non agirebbe mai e poi mai come ha fatto lei. Spetterà comunque agli psichiatri risolvere la questione. E peggio per lei se la dichiareranno responsabile delle sue azioni».

Parlando, Maigret continuava a spiarlo.

«Ammetta che ci rimarrebbe male se la dichiarassero irresponsabile!».

In effetti, nei pallidi occhi di Moncin era passato un lampo.

«Ma non importa. Lei è stato un bambino come tanti altri, almeno in apparenza. Figlio di un macellaio. Per lei era umiliante essere il figlio di un macellaio, vero?».

Maigret non aveva bisogno della risposta.

«Era un'umiliazione anche per sua madre, la quale ha deciso di vedere in lei una sorta di rampollo dell'aristocrazia venuto al mondo per sbaglio in rue Caulaincourt. Non so come fosse quel brav'uomo di suo padre. Tra le tante fotografie che sua madre ha religiosamente conservato, di lui ne ho trovata una sola. Immagino che se ne vergogni. Lei, invece, fin dalla prima infanzia è stato fotografato in tutte le situazioni possibili e immaginabili. A sei anni, per un ballo in maschera, le hanno addirittura fatto confezionare un costoso costume da marchese. Signor Moncin, lei ama sua madre?».

Nessuna risposta.

«Alla fine si sarà stufato di essere tanto protetto, di venire trattato come una delicata creatura che ha bisogno di un accudimento continuo...

«Avrebbe potuto ribellarsi, come hanno fatto tanti nella sua situazione, e tagliare il cordone ombelicale. Ora mi ascolti attentamente, perché quelli che si occuperanno di lei forse avranno la mano pesante.

«Lei per me rimane un essere umano. Non capisce che è proprio quello che sto cercando di far scaturire da lei: una scintilla di umanità?

«Lei non si è ribellato perché è pigro e smisuratamente orgoglioso.

150

«Alcuni nascono con un titolo nobiliare, un ricco patrimonio, dei domestici, un ambiente lussuoso e confortevole in cui vivere.

«Al posto di tutto ciò lei ha avuto sua madre.

«Qualunque cosa le accadesse, sua madre era lì. Lei lo sapeva, quindi poteva permettersi di fare tutto quello che voleva.

«C'era un solo prezzo da pagare: la docilità.

«A quella madre lei apparteneva. Era roba sua. Perciò non aveva il diritto di diventare un uomo come gli altri.

«È stata sua madre, vero, a farla sposare a vent'anni per paura che lei iniziasse ad avere delle avventure?».

Moncin lo guardava intensamente, ma era impossibile indovinare cosa ci fosse nella sua testa. Una cosa era certa: era lusingato che ci si occupasse di lui, che un uomo della levatura di Maigret si stesse interessando alle sue vicende e ai suoi pensieri.

Se quello che il commissario stava dicendo fosse stato sbagliato, non avrebbe forse dovuto reagire, protestare?

«Non credo che lei sia mai stato innamorato. È troppo concentrato su se stesso. Ha sposato Yvonne per essere lasciato in pace, o magari nella speranza di sottrarsi all'influenza di sua madre.

«Già da bambina Yvonne aveva una ammirazione incondizionata per quel ragazzino biondo ed elegante quale lei era. In confronto agli altri suoi amichetti, benché fosse figlio di un macellaio, lei sembrava appartenere a un altro universo.

«Sua madre è stata al gioco. Per lei quella ragazza era solo un'ochetta che avrebbe potuto manipolare a suo piacimento. Così vi ha sistemati in un appartamento adiacente al suo per tenervi d'occhio più facilmente.

«Forse già questo basterebbe a spiegare perché si possa arrivare a uccidere, non le pare?

«La vera spiegazione non verrà comunque dai medici, i quali, riusciranno, come ho fatto io, a individuare solo un aspetto del problema.

«L'unico a conoscere il problema nella sua interezza è lei.

«Io però, vede, sono convinto che lei non sarebbe in grado di spiegarsi».

Questa volta la reazione fu un lieve sorriso di sfida. Voleva forse dire che, se solo l'avesse voluto, lui avrebbe potuto spiegare facilmente il perché delle sue azioni?

«Per concludere: l'ochetta non solo si è rivelata in realtà una vera donna, ma anche una femmina non meno possessiva di sua madre. Tra le due è iniziata la guerra e lei, che era la posta in palio, si è trovato a essere sballottato tra l'una e l'altra.

«Sua moglie ha vinto la prima mano quando è riuscita a strapparla da rue Caulaincourt e portarla nell'appartamento di boulevard Saint-Germain.

«Yvonne le ha aperto nuovi orizzonti, l'ha introdotta in ambienti nuovi, con nuovi amici. Solo di tanto in tanto lei scappava via da lì e se ne tornava a Montmartre.

«A un certo punto, però, lei ha cominciato a nutrire nei confronti di Yvonne quegli stessi sentimenti di ribellione che già aveva provato per sua madre...

«*Quelle due donne, Moncin, le impedivano di essere un uomo!*».

L'altro gli lanciò un'occhiata carica di rancore, poi abbassò lo sguardo sul tappeto.

«Questo almeno è quello che si immaginava, che si sforzava di credere. Ma in fondo sapeva benissimo che le cose non stavano così.

«Lei, Moncin, non aveva il coraggio di essere un uomo. Non lo era mai stato. Aveva bisogno di loro, del clima che le creavano attorno, delle loro cure, della loro ammirazione e della loro indulgenza.

«Ed era proprio questo che la umiliava».

Per riprendere fiato Maigret andò a piazzarsi davanti alla finestra e si asciugò con un fazzoletto la fronte sudata. Aveva i nervi tesi come un attore calato fino all'esasperazione nel suo personaggio.

«E va bene, continui pure a non rispondere. Tanto so anche perché le è impossibile farlo: sarebbe insopportabile per il suo amor proprio. La vigliaccheria, l'eterno compromesso nei quali ha sempre vissuto sono troppo dolorosi.

«Quante volte ha avuto voglia di ucciderle? Non mi riferisco a quelle poverette che non conosceva e ha aggredito per strada, ma a sua madre e a sua moglie.

«Scommetto che da bambino, o da adolescente, qualche volta le è passata per la testa l'idea di uccidere sua madre per riuscire a liberarsene.

«Non era un progetto vero e proprio, no! Solo uno di quei pensieri campati per aria che poi uno dimentica subito e attribuisce alla rabbia.

«La stessa cosa è successa poi con Yvonne.

«Lei era prigioniero di entrambe. Le due donne la nutrivano, la accudivano, la coccolavano, ma allo stesso tempo erano loro a possedere lei. Proprio come un oggetto di loro appartenenza, un bene che si contendevano di continuo.

«Sballottato tra rue Caulaincourt e boulevard Saint-Germain, pur di essere lasciato in pace lei si è ridotto a un'ombra.

«In che momento, perché e dopo quale emozione, quale umiliazione forse più violenta delle altre in lei è scattato qualcosa? Non ne ho idea. L'unico a poter rispondere a questa domanda è lei, Moncin, e non è nemmeno detto.

«Sta di fatto che il progetto di affermazione di sé, in origine vago e poi a mano a mano sempre più preciso, ha cominciato a prendere forma dentro di lei.

«Ma come fare?

«Certo non nel lavoro, visto che ha sempre saputo di essere un fallito, o peggio ancora un dilettante, e che nel suo campo nessuno l'ha mai presa sul serio.

«E allora? Con quale gesto eclatante?

«Per soddisfare il suo orgoglio, bisognava infatti che fosse qualcosa di clamoroso, un fatto di cui tutti avrebbero parlato e che le desse la sensazione di ergersi al di sopra della massa.

«È stato allora che le è venuta l'idea di uccidere le due donne?

«Ma era pericoloso. Le indagini si sarebbero subito orientate su di lei e oltretutto non le sarebbe rimasto nessuno a sostenerla, adularla, incoraggiarla.

«Però proprio con loro ce l'aveva a morte, con le femmine dominatrici.

«E così ha iniziato ad accanirsi su una donna a casaccio, una incontrata per strada.

«Ha provato sollievo, Moncin, quando ha scoperto che era capace di uccidere? Le ha dato l'impressione di essere superiore agli altri uomini o, semplicemente, di essere un uomo?».

Lo guardò negli occhi, con durezza, e il suo interlocutore fu lì lì per cadere all'indietro con tutta la sedia.

«Sempre, fin dai primordi dell'umanità, l'omicidio è stato considerato il più grande dei crimini. Alcuni ritengono che uccidere implichi un coraggio eccezionale.

«Immagino che la prima volta, il 2 febbraio, le abbia procurato un sollievo, addirittura un attimo di ebbrezza.

«Ovviamente lei aveva preso le sue precauzioni, perché non voleva pagare per quel delitto e non aveva nessuna intenzione di andare a finire sulla ghigliottina, in prigione o in manicomio.

«Lei è un criminale borghese, signor Moncin, un

criminale cagionevole che ha bisogno di vivere tra agi e premure.

«È per questo motivo che, da quando l'ho vista, ho la tentazione di usare con lei quei metodi che tanto si rimproverano alla polizia. Lei ha paura delle percosse, della sofferenza fisica in generale.

«Se le dessi un manrovescio lei crollerebbe e forse, per paura di un secondo ceffone, preferirebbe confessare».

Acceso com'era dalla collera che via via era montata in lui, Maigret aveva assunto senza rendersene conto un aspetto tremendo. Moncin, come accartocciato su se stesso, era terreo in volto.

«Non abbia paura. Non la picchierò. A dire il vero, non sono neanche sicuro di avercela proprio con lei.

«Lei ha dato prova di essere intelligente. Ha scelto un quartiere che conosceva come le sue tasche, avendoci trascorso l'infanzia.

«Inoltre ha scelto un'arma silenziosa ma che allo stesso tempo riuscisse a darle, quando colpiva, una soddisfazione fisica. Non sarebbe stata certo la stessa cosa premere il grilletto di una pistola o versare del veleno.

«Aveva bisogno di un gesto rabbioso, violento. Aveva bisogno di distruggere e di sentire che stava distruggendo.

«Pugnalare però non le bastava: doveva assolutamente continuare ad accanirsi, come fanno i bambini.

«Lacerava il vestito, la biancheria intima. Gli psichiatri vedranno sicuramente una simbologia in tutto questo.

«Non violentava le sue vittime perché ne era incapace, perché in fondo lei non è mai stato un vero uomo».

Moncin alzò la testa di scatto e fissò Maigret, con

le mascelle contratte, come se stesse per saltargli addosso.

«I vestiti, le sottovesti, i reggiseni, le mutandine: lei faceva a pezzi la femminilità.

«Quello che ora mi chiedo è se una delle due donne ha mai sospettato di lei, non necessariamente per il primo omicidio, ma per i successivi.

«Quando si recava a Montmartre, avvertiva Yvonne che stava andando a trovare la madre?

«E sua moglie non ha mai messo in relazione le sue visite con gli omicidi?

«Vede, signor Moncin, io mi ricorderò di lei finché campo. In tutta la mia carriera, nessun altro caso mi ha mai scosso tanto né coinvolto così profondamente.

«Ieri, dopo il suo arresto, nessuna delle due donne ha creduto che lei fosse innocente.

«E una di loro ha deciso di salvarla.

«Supponendo che si tratti di sua madre, è vero che le ci voleva un attimo per arrivare in rue de Maistre.

«Se invece si tratta di sua moglie, ciò significa che quella donna accetterebbe, nel caso lei venisse rilasciato, di vivere accanto a un assassino.

«Non respingo nessuna delle due ipotesi. Dalle prime ore di stamattina sono entrambe qua, l'una di fronte all'altra in un ufficio, ma per ora nessuna delle due ha aperto bocca.

«Quella che ha ucciso sa di averlo fatto.

«Quella che è innocente sa che l'altra non lo è. E mi chiedo se segretamente non la invidi.

«Tra di loro, non è forse in corso da anni una lotta a chi dimostrerà di amarla e dominarla di più?

«Bene, quale miglior modo per tenerla definitivamente in pugno che tirarla fuori dai guai?».

Maigret stava per proseguire quando venne interrotto dallo squillo del telefono.

«Pronto!... Sì, sono io... Sì, signor giudice... È

qua... Con il suo permesso, ne avrei ancora per un'oretta... No, la stampa dice il vero... Un'ora soltanto!... Anche loro sono entrambe qui, in commissariato...».

Riagganciò spazientito e andò ad aprire la porta dell'ufficio degli ispettori.

«Portatemi le due donne!».

Doveva assolutamente farla finita. Se lo slancio che aveva preso non gli avesse consentito di andare fino in fondo, non sarebbe mai riuscito a risolvere il caso.

Aveva chiesto al giudice ancora un'ora come si chiede la carità, e non perché fosse sicuro di sé. Di lì a un'ora, lui avrebbe definitivamente passato la mano e Coméliau avrebbe fatto a modo suo.

«Accomodatevi, signore».

Gli unici indizi che lasciavano trasparire l'ardore che animava il commissario erano una lievissima vibrazione nella voce e la calma esagerata di alcuni suoi gesti, come un certo modo di porgere una sedia a entrambe le donne.

«Non vi racconterò storie. Chiudi la porta, Janvier... No, non andare via! Resta e prendi appunti. Dicevo che non vi racconterò storie, ossia non cercherò di farvi credere che Moncin ha confessato. Avrei potuto interrogarvi separatamente, ma come potete vedere ho deciso di non ricorrere ai trucchetti del mestiere».

La madre, che si era rifiutata di mettersi a sedere, marciò su Maigret con la bocca spalancata ma il commissario le intimò con tono secco:

«Stia zitta! Non adesso...».

Yvonne Moncin sedeva buona buona sul bordo della sedia, come fosse lì in visita. Aveva lanciato verso il marito giusto un'occhiata veloce, e ora fissava il commissario come se non le bastasse sentirlo parlare e avesse bisogno di seguire il movimento delle sue labbra.

«Che confessi o no, quest'uomo ha ucciso, per cinque volte. E lo sapete tutte e due, visto che conoscete i suoi punti deboli meglio di chiunque altro. Prima o poi ne avremo le prove. E prima o poi finirà in prigione o in manicomio.

«Una di voi ha creduto che commettendo un altro omicidio sarebbe riuscita a sviare i sospetti da lui.

«Resta da sapere chi delle due, stanotte, ha ucciso all'angolo di rue de Maistre una certa Jeanine Laurent».

La madre prese finalmente la parola.

«Lei non ha nessun diritto di interrogarci senza la presenza di un avvocato. E proibisco anche a loro due di parlare. È nostro diritto essere assistiti legalmente».

«Per favore, signora, si sieda. A meno che non abbia qualcosa da confessare».

«Ci mancherebbe anche che io avessi qualcosa da confessare! Lei si comporta come... come quel maleducato che è. Vedrà che lei... lei...».

In tutte quelle ore trascorse a tu per tu con la nuora aveva accumulato, in silenzio, così tanto rancore che adesso non riusciva neanche più a parlare.

«La prego ancora una volta di sedersi. Se continua a sbraitare così, la farò portare via da un ispettore che la interrogherà mentre io continuerò a occuparmi di suo figlio e di sua nuora».

Quella prospettiva la calmò di colpo e il suo atteggiamento mutò radicalmente. Rimase un attimo con la bocca spalancata per lo stupore, poi parve sul punto di dire:

«Vorrei proprio vedere!».

Non era forse lei la madre? I diritti che lei aveva su Moncin non erano forse più antichi e indiscutibili di quelli di una ragazzetta che in fondo suo figlio aveva soltanto sposato?

Lui non era certo uscito dal ventre di Yvonne, ma dal suo.

«Una di voi due» riattaccò Maigret «non solo ha sperato di salvare Moncin commettendo un omicidio uguale ai suoi mentre lui era in prigione, ma sono convinto che era al corrente di tutto già da molto tempo. Costei ha avuto dunque il coraggio, giorno dopo giorno, di restare sola con lui in una stanza, senza nessuna protezione, nessuna possibilità di sottrarsi se a lui fosse venuta l'idea di uccidere anche lei.

«Quella donna lo ha amato così tanto, a modo suo, da...».

A Maigret non sfuggì lo sguardo che la signora Moncin lanciò alla nuora. E forse mai gli era capitato di leggere tanto odio negli occhi di un essere umano.

Yvonne, dal canto suo, rimaneva imperterrita. Con le mani appoggiate sopra la borsetta di pelle rossa, dava l'impressione di essere ancora ipnotizzata da Maigret, di cui seguiva ogni espressione.

«Non mi resta che un'ultima cosa da dirvi: Moncin, quasi certamente, non verrà condannato a morte. Gli psichiatri, come sempre, non riusciranno a mettersi d'accordo, discuteranno davanti a una giuria che non ci capirà niente, e con ogni probabilità, grazie al beneficio del dubbio, lui trascorrerà il resto dei suoi giorni in un manicomio».

Le labbra di Moncin ebbero un fremito. A che cosa pensava in quel preciso istante? Doveva avere una paura atroce della ghigliottina, ma anche della prigione. Stava forse rievocando mentalmente quelle tipiche scene da ospedali psichiatrici che affollano l'immaginario popolare?

Maigret era convinto che se gli avessero promesso un'infermiera e una camera tutta per lui, se avesse saputo di poter godere di un trattamento raffinato e dell'attenzione di qualche primario illustre, l'arre-datore non avrebbe esitato a confessare.

«Le cose andranno molto diversamente per la donna che lo ha aiutato. Parigi vive da sei mesi nella paura e la gente non perdona mai chi è responsabi-le di averle fatto paura. I giurati saranno dei parigi-ni, padri e mariti di donne che sarebbero potute finire sotto il coltello di Moncin a un qualunque an-golo di strada.

«Nel caso dell'assassina non ci sarà l'attenuante della pazzia.

«Secondo me, sarà la donna a pagare.

«Lei lo sa.

«Ed è una di voi due.

«Per salvare un uomo, o meglio, per non perdere quello che reputa essere cosa sua, una di voi due si sta giocando la testa».

«Non mi importa di morire per mio figlio» e-sclamò di botto la signora Moncin articolando bene ogni sillaba. «È mio figlio. Non m'interessa cos'ha fatto. E nemmeno mi interessa delle sgualdrine che passeggiano di notte per le strade di Montmartre».

«Ha ucciso lei Jeanine Laurent?».

«Il nome non lo conosco».

«La notte scorsa, è stata lei a commettere l'omici-dio di rue de Maistre?».

La donna ebbe un attimo di esitazione, guardò Moncin e infine dichiarò:

«Sì».

«In tal caso, le dispiacerebbe dirmi con precisio-ne di che colore era il vestito della vittima?».

Maigret aveva chiesto alla stampa di non pubbli-care quel dettaglio.

«Io... C'era troppo buio per...».

«Stia a sentire, lei sa bene che la donna è stata ag-gredita a meno di cinque metri da un lampione...».

«Non ho fatto attenzione al colore dell'abito».

«Eppure quando ha lacerato il tessuto...».

Il lampione più vicino al luogo in cui era stato commesso l'omicidio si trovava, in realtà, a oltre cinquanta metri di distanza.

Allora, nel silenzio, si sentì la voce di Yvonne Moncin pronunciare con compostezza, come una scolaretta:

«Il vestito era azzurro».

Sorrise, sempre perfettamente immobile, poi si voltò verso la suocera e la guardò con aria di sfida.

Nella sua mente, era o non era lei la vincitrice?

«Già, era azzurro infatti» sospirò Maigret sentendo finalmente allentarsi la tensione nervosa.

Ne provò un sollievo così brusco, così violento che gli occhi gli si riempirono di lacrime. Ma forse erano solo lacrime di stanchezza.

«Janvier, finisci tu» mormorò alzandosi e prendendo a caso una pipa sulla scrivania.

La madre era annichilita, come se fosse invecchiata di colpo di dieci anni, come se le avessero appena strappato via la sua unica ragione di vita.

Maigret non rivolse nemmeno uno sguardo a Moncin, che aveva lasciato cadere la testa sul petto.

Il commissario si fece largo tra la folla di giornalisti e fotografi che lo assalirono nel corridoio.

«Chi è stato? Lo sapete?».

Il commissario annuì e balbettò:

«Più tardi... Tra pochi minuti...».

Poi si affrettò verso la porticina a vetri che comunica con il Palazzo di giustizia.

Rimase dal giudice Coméliau non più di un quarto d'ora e quando fu di ritorno iniziò a impartire ordini.

«La madre, ovviamente, va rilasciata. Coméliau vuole vedere gli altri due appena possibile».

«Insieme?».

«Sì, prima insieme. Preparerà lui il comunicato stampa...».

C'era una persona che Maigret avrebbe voluto vedere, ma non nel suo ufficio, né in mezzo ai corridoi o in qualche stanza di un manicomio: il professor Tissot, con cui avrebbe potuto chiacchierare a lungo, come era accaduto quella sera nel salotto dei Pardon.

Ma non poteva chiedere all'amico di organizzare un'altra cena. Ed era anche troppo stanco per andare all'istituto Sainte-Anne e aspettare che il professore trovasse il tempo per riceverlo.

Quando aprì la porta dell'ufficio degli ispettori, tutti i presenti puntarono lo sguardo su di lui.

«Ragazzi, abbiamo finito...».

Esitò un attimo, poi guardò a uno a uno i suoi collaboratori, rivolse loro un sorriso stanco e confessò:

«Io me ne vado a dormire».

Era vero. E non gli era capitato spesso di andare a letto a quell'ora, nemmeno quando faceva la notte.

«Al capo direte che...».

Poi, in corridoio, rivolto ai giornalisti:

«Andate dal giudice Coméliau... Vi darà lui tutti i particolari...».

Lo videro scendere le scale da solo, con la schiena curva, facendo una sosta sul primo pianerottolo per accendersi con calma la pipa che aveva appena caricato.

Uno degli autisti in servizio gli chiese se aveva bisogno di un passaggio e lui, con un cenno del capo, fece segno di no.

Aveva voglia, prima di qualunque altra cosa, di andarsi a sedere a un tavolino della brasserie Dauphine. Proprio come aveva fatto quella notte, quando era rimasto a lungo seduto al tavolino di un altro caffè.

«Una birra, commissario?».

Con una vena d'ironia, un'ironia rivolta più che altro a se stesso, Maigret alzò lo sguardo verso il cameriere e rilanciò:

«Due!».

Dormì fino alle sei del pomeriggio, con la finestra aperta sui rumori di Parigi e le lenzuola umide di sudore. Quando finalmente ricomparve in sala da pranzo, con gli occhi ancora gonfi, fu solo per annunciare alla moglie:

«Stasera andiamo al cinema...».

E vi andarono, tenendosi a braccetto come era loro consuetudine.

La signora Maigret non fece domande. Avvertiva confusamente che il marito tornava da molto lontano e aveva bisogno di riabituarsi alla vita di tutti i giorni, di stare in mezzo a persone rassicuranti.

La Gatounière, Mougins (Alpes-Maritimes),
12 luglio 1955

GLI ADELPHI

Le inchieste di Maigret

FINITO DI STAMPARE NEL NOVEMBRE 2004
DALLA TECHNO MEDIA REFERENCE S.R.L. - CUSANO (MI)

Printed in Italy

GLI ADELPHI
Periodico mensile: N. 259/2004
Registr. Trib. di Milano N. 284 del 17.4.1989
Direttore responsabile: Roberto Calasso